二人は濡れた唇を啄むように互いにキスをしあい、
汗ばんだ背中を抱きしめた。
「やっと……おまえを俺のものにできた」

愛《いと》しい指《ゆび》先《さき》

森《もり》崎《さき》結《ゆ》月《づき》
ILLUSTRATION：陵《みささぎ》クミコ

愛しい指先

LYNX ROMANCE

CONTENTS

愛しい指先

Time goes by

残暑厳しい九月上旬、アスファルトの地面に陽炎《かげろう》が揺らめく金曜日の午後――。

ネイルサロン『Le petit bonheur《ル・プティ・ボヌール》』のオーナー兼店長である一ノ瀬理人《いちのせりいと》は、店に充満するアクリルの香りを嗅ぎ、深く息をついた。

「ありがとうございました。またのご来店お待ちしています」

客を見送って頭をあげたところ、店頭に並んだエナメルの透明な小瓶が、午後の陽に反射していた。まるで海面が揺らいでいるようにも、宝石が煌《きら》めいているようにも見え、理人の疲労を癒《いや》してくれる。

――ここは、理人が生きがいとしている大切な居場所。

この店は、テナントが入る雑居ビルの一階にあるが、表参道《おもてさんどう》の賑《にぎ》やかな大通りから一本外れた場所にあり、比較的人通りも静かで落ち着いた雰囲気が気に入っている。

ひとつだけ難点をあげるなら、西陽がつよく入ること。同系色のネイルの色味を見るときや爪に乗せるラインストーンの輝きが眩《まぶ》しく、作業の都合上、邪魔になることがあるのだ。

「ブラインドを下ろそうかな？」

理人がブラインドに目をやると、隣で会計をしてくれていた従業員の木島未知《きじまみち》が、はいと挙手する。

「じゃあ、私、やっておきますよ。オーナーそろそろ休憩に入られたらどうです？　客足も落ち着いてきていますし、次の予約は十九時ですよね」

未知は学生時代に店舗のマネージャーをやっていた経験があるらしく、のんびりしている理人とは対照的に積極的にテキパキと動いてくれて、とても助かっている。

「ありがとう。僕は大丈夫だよ。君たち二人こそ今のうちに交代で休憩して。そのあとでいいんだけど、予約のお客さんの分が終わったら、チップの在庫チェックをしてくれるかな？」

「はぁい。わかりましたー」

ふんわりボブを軽やかに揺らしつつ、未知の元気な声が事務所の奥に消えていく。

交代でもうひとりの従業員、高橋香織《たかはしかおり》が、笑顔で接客についた。

ポニーテールがトレードマークの彼女は、ネイルデザインの才能に長《た》けているのはもちろんのこと、客への細やかな気配りや提案ができる人で、女心に疎い理人にとって、よい右腕となっている人材である。

つい先日オープン一周年を迎えたばかりの店は、経営者である理人と彼女たち女性従業員が二名だけという小さなサロンだが、地道に口コミから評判が広がり、それなりに客足も伸びているところだ。

「こちら、秋の新作ですが、いかがですか？　ボルドー一色にラメを散らしたものや、モカブラウンに水玉模様のものも入りましたよ」

ネイルチップを並べて香織がおすすめをいくつか指すと、客は楽しそうに頬を緩ませながら選びはじめる。

「わぁ……可愛《かわい》い。あ、こっちの紫のラインストーンもいいですね」

「はい。ボルドーとパープルの組み合わせも今年ブームで当店でも人気がありますよ」

ネイルチップはデザインの見本だ。いくつか提案して客の服装や気分に合わせてアレンジする。デザイン選びは店員も客も胸がわくわくする楽しい時間だと思う。

期待に添えられるように想いを込め、小さなキャンバスに筆をおろす。そうして完成し、客が感激してくれたときの喜びは、何にも代えがたい。

店名の『ささやかな幸せ』というのは、客にとってそうでありたいという願いを込めてつけたのだが、それが同時に店側の幸せでもあった。

一日の仕事の流れは、午前から昼ぐらいまでは新作のデザイン制作、備品や消耗品の在庫チェック、ハガキやＰＯＰの作成など事務的な作業。昼を過ぎると、主婦の女性がランチのついでにやってきたり、夕方からは学生やＯＬが来店したり、夜になってホステスが飛び込みでやってきたり、各自が様々なネイルケアやネイルアートを担当し、時間のほとんどが接客に費やされる。

比較的ゆとりのある穏やかな午後の時間を迎えたところで理人は一息つき、一年前のちょうど今ぐらいの時期に店を構えようと決心したことをぼんやりと振り返った。

――もう一年……か。

男がネイルサロンをはじめとする美容関係の店を経営することはさして珍しくないかもしれないが、ネイルアーティストというのはかなり少ない。ネイルの場合、男性に手を触られたままの状態が恥ずかしいとか気まずいという女性心もあるだろう。

理人の場合は生まれもった中性的な甘い顔立ちとほんわりとした雰囲気のせいか、親しみやすい印象があるらしく、幸い女性客から敬遠されるようなことは今まで一度もなかった。

意識されないというのは男として喜んでいいことではないだろうが、女性に性的な理想を抱いていない理人にとってはありがたい状況だった。

女性に関心がないのに、女性のためのネイルサロンを経営しているというのは、ある意味矛盾になるのかもしれない。

ただキラキラしたものが好きなだけで、女装の趣味があるわけではないし、女になりたい願望もない。理人の場合は、女性ではなく男性に恋をする『マイノリティー』なのだ。

ネイルアーティストとしての道を進んだことを遡れば、高校時代、あるきっかけから女の子にマニキュアを塗ってあげたことがはじまりだった。

昔を思い出そうとすると、ラムネを飲んだときのように胸の奥がひんやりと涼しくなり、きゅうっと、みぞおちのあたりが締めつけられる。

理人が思い浮かべたのは、その子の顔……ではなく、当時よく一緒にいたクラスメイトの男子。そして彼の武骨ながらしなやかな手……。

カランと音がして、ハッと我に返る。

ラムネのビー玉が弾《はじ》けたのではない。店のドアベルが小気味よく鳴ったのだ。

理人はすぐさま笑顔になって、オーナーとして人前をとりつくろった。

「いらっしゃいませ」

ドアが開いた拍子にふわりと甘い香りが漂う。

つよい日差しに目がくらみ、やがて慣れてきて一秒、二秒、三秒……。

(……え)

理人は、客の顔を目にした途端、石膏《せっこう》で塗り固められたかのように動けなくなってしまった。

現実だと受け入れるために、幾度か瞬《まばた》きをしてみる。夢じゃない、と認識した瞬間、呼吸が止まりそうになった。

なぜなら、今まさに思い浮かべていた人物が目の前にいるのだから。

彼はじっと佇《たたず》んでいた理人に、爽やかな笑顔で声をかけてきた。

「久しぶり」

甘いテノールが鼓膜にすべりこみ、理人の十年前の記憶の扉をノックする。

艶やかな黒髪からのぞく、意思の強そうな瞳、すっと通った鼻梁《びりょう》、女好きしそうな形のいい唇、その精悍な表情にかつての面影を覚え、トクリと鼓動が高鳴った。

「あ、……」

声が出ない。

蜃気楼《しんきろう》でも見ているような、あるいは狐《きつね》につまままれたような気持ちだった。

すらっとした身丈の、広い肩幅、まっすぐに伸びた背筋、わずかに口角をあげた余裕のある微笑み、なにもかもが、あの頃を写したままの愛《いと》しい人が立っていたのだから。

（……うそ、なんで……）

理人が動揺を隠しきれないで固まっていると、男の方が参ったな……と、髪をかきあげた。

「おい、一ノ瀬。いつまでも、そんな幽霊を見たような顔するなよ。俺だよ、長谷川哉也《はせがわとしや》。十年……といっても、見かけはそんな変わったつもりはないんだけど、わからなかったか？」

わかっている。言われるまでもなく、彼は理人が思い描いていた未来予想図どおりに、十七、十八の高校生の姿から、二十七歳の社会人へ成長していた。

理人は忘れかけていた記憶の分まであっという間に取り戻した。

そうだった。この胸を震わせるような低い声の持ち主は——ひとりしか思い当たらない。

あの頃よりもぐっと低く、えもいわれぬ色香を感じるのは、会えなくなってから互いが大人になり、時が過ぎた証《あかし》である気がした。

高校三年のときから十年間、会いたくても会えなかったのに。

毎日のように会いたいと願っても、もう何年も叶《かな》うことがなかったのに。

こんな一瞬でそのときを迎えるなんて。

諦めて当然なのだと言い聞かせてきたのに、ここにきて実現してしまうなんて……。

「いや、わかったよ。まさか……えっと、その、まさか……長谷川と会えるなんて、思わなかったから」

驚きのあまり、声が震える。突然すぎて、頭の中がうまく整理できない。

もう二度と呼ぶことも言葉を交わしあうこともないだろうと思っていた彼の名前が、自分の口からすんなりと出たことにも驚いた。

「いつ……日本に？」

「ああ、一年前ぐらいにな」

「そっか……」

理人は窓からの逆光に目を眇《すが》めながら哉也をまじまじと見つめる。彼が目の前にいることを現実だと心が受け入れるまで、しばらくまた時間がかかった。

(長谷川……本当に、長谷川がここにいるんだ)

長谷川はじろじろ見られるのが気になったのか、バツが悪そうな顔をして、受付カウンターにいた理人のすぐ目の前まで歩いてきた。

「実は、ここの店がオープンしたときに、通りかかったんだ。最初は似てるやつがいるなと思ってたんだけど、やっぱり見間違えるはずがなかった」

「そっか」

自分より十センチは目線が上になる哉也のことを見上げることなく、理人は消え入りそうな声で言った。

見間違えるはずがない……などと、哉也の一言に胸を弾ませてしまいそうになる自分が情けない。

自分の存在が彼につよい印象を残していることが嬉《うれ》しい反面、過去に二人の間にあった出来事を大して気にかけていないような彼の様子に傷ついた。

哉也は高校時代の同級生で、理人が忘れられなかった相手だ。

あれほど傷ついたのに、傷つけたのに、まるですべてがなかったことのように接してくる彼に戸惑ってしまう。

どうして彼はここに来て、屈託なく笑いかけられるのだろう。もしも逆の立場だったら、理人はきっと声をかけないまま知らんふりをしていただろう。彼が何を考えているかわからない。

哉也にとってはただの思い出の一部になっているということなのだろうか。

理人は困惑したまま、何を言っていいのか悩んだ。

忘れなくちゃいけない、と蓋をしつづけていた感情が一気に膨れあがるのを堰《せ》き止めるのに必死で、普段接客しているときにどう対応しているのかも忘れてしまいそうだった。

「オーナー、個人的なお客様なら事務所にお通ししましょうか？」

気を遣った声が後ろから聞こえてきて、理人はハッと我に返る。

……何やってるんだ。しっかりしないと。自分は今、この店の責任者なのだから。

心の中で活を入れ、理人が何かを言おうとするより先に、哉也が答えた。

「ああ、いいですよ。仕事の途中で寄っただけなので、すぐにおいとまします」

にこり、と笑顔を向けられ、未知が頬をほんのりと明るくした。彼女でなくともそうなるだろうし、理人も例外ではない。哉也のようないい男に微笑《ほほえ》みかけられたら、誰だって悪い気はしないのだから。

「よろしいんですか？」

「ええ。お仕事中、お邪魔してすみません」

じゃあ、と今にも立ち去ろうとする哉也の様子に焦っていると、彼は理人の方を向いて言った。

「一ノ瀬、せっかくだし、また今度ゆっくり話そう」

「え？」

意外な申し出に、理人はドキッとしてしまう。哉也は、熱っぽい視線をまっすぐに向けてくる。千載一遇のチャンスを逃がすまいといった強い眼差しに理人の鼓動はますます速まっていく。

「オープンしたのって一年前だろ。忙しかったたっていうのもあるけど、おまえに会いたくても、ここにひとりで来るのは気が引けるっていうか。これでも勇気出して来てみたつもりだ」

哉也が周りを気にしながら落ち着きなく髪をかきあげるのを見て、理人は茶化すように言った。

「うん、まあ、たしかに。長谷川みたいな男は、ムダに存在感あるもんな」

「ひどいな。褒められて……るのか、皮肉られてるのか」

長谷川が白い歯をのぞかせて笑う。

そうしているうちに女性客の視線がちらちらと長谷川の方へ寄せられるのが空気で伝わってくる。人好きのする端正な顔をした男が、小綺麗《こぎれい》なスーツを着ている姿は余計に色男に見えるのだから、目立つのは仕方ないだろう。

「いや、なんていうか……大人になったなって思ったんだよ」

……というのは言い訳だ。

哉也がまた会いたいと思ってくれていることが嬉しい。それをけっして顔に出してしまわないように、おどけてみせただけだ。もしも今夕陽が差し込んでいなければ、顔が赤くなっていたのは自分の方だったかもしれない。

「あれから……十年、か。いやでも大人になるさ。あの頃とは何もかもが違うんだからな」

噛《か》みしめるように呟《つぶや》く哉也の声が鼓膜をくすぐり、懐かしさという名のもどかしい感情がこみ上げてくる。

まるで大人になりたくなかった……みたいに聞こえるのは、理人の願望が都合よくそうさせるだけに過ぎない。昔とは違うのだとはっきり線引きをされ、喉の奥に苦いものがたまっていくのを感じた。

一体自分はどんな顔をして、哉也を見ているのだろう。動揺しまくって客観視できないのが怖い。会えて嬉しかったのも束の間《つかのま》、苦々しい過去がじわじわと蘇《よみがえ》ってくるにつれ、血の気が引いていく。

……そう。あれからもう十年だ。

お互いにそれぞれの人生を歩んでいたんだし、高校時代のことなんてとっくに水に流しているかもしれない。

けれど、哉也と過ごした高校時代は、哉也が高校卒業と同時にアメリカに発《た》ってしまってから今の今までずっと忘れられなかったほど、人生に影響を与えた。

それは……あくまで、理人にとっての、だ。

もしかして、こうやって普通に顔を出せるということは、哉也にとっては些末《さまつ》なことだったのかもしれない。理人と同じように悔いてるわけではなく、ただ学生時代の青春の一ページを懐かしむ感覚なのかもしれない。

アメリカに発ったあとすぐに新しい恋人を見つけたかもしれないし、哉也にはもっと大切なことがきっと色々あることだろう。そう考えたら、背骨が軋《きし》むほど痛くなった。

——俺、ずっと気になってたんだ、おまえのこと。離れてからもずっと忘れられなかった。死ぬほど後悔した。今でも想ってる。どうしたって忘れられなくて……今も……。

沸々と滾《たぎ》る想いに目頭が熱くなってくる。

一瞬、感情のままに喉まで出かかった言葉は、彼の瞳を見た三秒あとに嚥下《えんか》した。

過去を持ち出したら、もう二度と会えなくなる。そんな思いが脳内に走ったのだ。

そして悪魔が耳元で囁《ささや》いた気がした。

余計なことを言いさえしなければ、また哉也と会えるんだぞ……と。

水に流してしまえ。あの頃は青かったのだと笑ってしまえ、と。

だが、懐かしむような哉也の眼差《まなざ》しに触れた途端、かさぶたになりかけた傷をあっさり引きはがされた気がした。

「でも、おまえは……変わらないよな。ホッとしたよ」

ホッとしたとはどういう意味だろう。

理人は哉也の表情からよみとれない彼の心理に戸惑う。

「そう、かな」

「ああ、もちろん、いい意味だよ。自分の店をもつなんてそうそうできることじゃないよ」

理人がいぶかしんでいたのが伝わったのか、哉也が慌てて訂正する。

そういう彼は昔と比べて雰囲気が変わったと思う。大人になったというのは容姿のことだけではない。社会人として過ごしてきた経験や自信、そういったものが漲《みなぎ》っているように感じるのだ。

せめて、「おまえも変わったな」と言ってほしかった。そうしたら、過去と今はやっぱりもう違うものだと、互いに区別がついているのだと思いこむことができたのに。

理人だけが変わらず、あの時から立ち止まっているということをいやでも意識させられてしまう。

先ほどから沸々とこみ上げてくる感情を必死に抑えこんで、理人は営業用の笑顔でなんとかしのいだ。

「……ありがとう、褒め言葉だと思っておくよ」

とりつくろって言っただけに過ぎないが、一応楽しげに聞こえたのだろうか。つられたように哉也の顔にも笑みが広がる。

彼の笑顔は理人とは違って、素直で爽やかだ。

この嬉しさがめいっぱい伝わるような表情や、優しい目尻の笑い皺《じわ》が好きだったな……と考えて、あの頃の気持ちを忘れていないばかりか、再び彼に見惚《みと》れてしまっている自分自身に心底がっかりする。

記憶が薄れてもずっと忘れられなかったのに、新たな色を加えられ、鮮やかに呼び覚まされたこの恋心はどうすればいいのか。

「じゃあ、俺はそろそろ仕事に戻らないとまずいから、またな」

「……待って、これ、よかったら」

とっさに、理人はメンバーズカードを差しだした。

「何だ？」

哉也は受け取ってくれ、店名に目を落とす。

「あの、一応、予約制なんだ。だから」

指と指が触れあいそうになり、顔がかあっと熱くなる。

何を必死になっているのだろう。

哉也がまた来ると言ったのは社交辞令だったかもしれないのに。

これではまるで、どうしても来てほしいといっているようなものだ。いや、店主として当然のことなんだ、これは。

心の中でひとり焦って言い訳をする。

そんな理人のことなど気づきもせず、哉也は爽やかな笑顔を浮かべた。

「もらっておく。今度、会社の女の子でも連れてくるよ。次は連絡入れてから来るようにするから」

じゃあな、と哉也が踵《きびす》を返す。

ふわり、とアンバームスクのような香りが漂い、広い背中が遠ざかっていく。

彼の後ろ姿は、高校時代ブレザーを着ていたときとは違う、大人の背中だった。

恋人はいるのだろうか。卒業してからどんな人と付き合ってきたのだろう。女の子を連れてくる……ということは、彼女ということだろうか。ショックを受けながらも、それなら彼は健全のままなのだな、とどこか安心もしている自分が情けなかった。

哉也は高校生のときから大人びていたから、女子にもかなりモテていた。付き合った彼女の話だって色々聞いていた。

たった一度だけ……理人との間にあったことは、哉也にとっては思い出したくない過去かもしれない。そうだ、哉也にはノンケのままでいてほしい。想いが実らないままなら、せめてそうだったらいい。自分以外の男と関係をもった哉也を想像したくない。

店をはじめてから客の雰囲気などでだいたいの肩書などもわかるようになったが、彼はきっとよい地位を築いているに違いないと理人は思う。

なにせ哉也の父親は世界的なホテルチェーンであるクレッシェンドホテルのCEOだ。高校時代に聞いた彼の将来の方向性が変わっていないのだとしたら、哉也は父親の跡継ぎとして、グループ会社に入社しているはずだ。

親族経営とはいえ実力主義だから、といつだったか哉也が言っていたように、彼ならばきっと御曹司であることを盾にしなくとも出世できるに違いない。

名家の跡取りでありながら勘当されて家を出たっきり、のうのうと好き勝手している理人とはまるっきり正反対だ。

「また今度」というのはいつだろう。恋人を連れてこられたら絶対にショックを受けるだろうから、その心構えぐらいはしておきたい。

哉也は急いでいたのだろうけれど、せっかくなら彼の名刺をもらえばよかった。たとえこちらから連絡しないにしろ哉也の現在を知っておきたかった。これでは、こちらだけが無防備でいるようなものだ。

どうして、彼は過去を過去のままにしておいてくれなかったのだろう。

十年という時を経て、ようやく諦めの域に入ろうとしていたのに。

忘れようと努力したのに、どんどんかつての記憶が蘇って理人を浸食していく。そして、奥底に秘めた想いに手が届いてしまう。どれほど好きだったかを思い知らされる。

（……本当に、どうして会いにきたんだよ）

理人はちりちりと痛む胸のあたりをシャツ越しにぎゅっと握った。

見て見ぬふりをして来ないという選択肢もあったのに、どうして会いに来たりしたんだ。そんなふうに責めながら、会いたいと思ってくれたのが嬉しいとか、もう一度会いたいとか女々しいことを思い浮かべてしまう自分がいやになる。

忘れられなかったのは、一、二年やそこらじゃない。せめて四、五年ぐらいまでなら可愛げがあったかもしれない。

十年……なんて、重たくて、痛々しくて、自分でも呆れてしまうくらいだ。

こんな気持ちを知ったら、会いたいなんて言えなくなるにきまっている。

哉也が帰ってからも、社会人となったスーツ姿がはっきりと瞼《まぶた》の裏に焼きついてしまい……しばらく頭の中から離れなかった。


長谷川哉也とは、高校二年のとき、クラスメイトだった。

二人が通っていた星稜《せいりょう》学園高等学校は良家の子女が多く、初等部から高等部までの一貫教育体制で、約八割が星稜大学に進学するという名門私立だ。

理人は初等部からエスカレーター式に進学し、哉也は高等部から外部受験で入った。

哉也は元々バスケットボールの推薦狙いだったらしいが、条件とされていた大会の成績があと一歩及ばず、一般受験に切り替わったのだとか。

最初から仲がよかったわけではない。むしろまったく接点のない二人だった。

バスケ部のエースである哉也は、人当たりのいい明朗活発な性格から友達が多かったけれど、美術部で淡々と絵を描くのが趣味の理人は、普段から物静かで他人との関わりを極力避けるようなタイプだった。

それだけなら華々しい哉也とちがいモテる要素がなさそうな理人だったが、生まれながらにして容姿には恵まれていた。中性的な甘い顔立ちと柔らかい雰囲気が女子の目には王子様的な存在として映っていたらしい。

だが、既にその頃には理人は男性しか好きになれないという自分のマイノリティーな性的傾向を認めていたから、女子に告白されても断るしかなかった。

そんな日々が続くうち、試しに女の子と付き合ったら、男が好きだという考えは一時的なものだったと、目が覚めるかもしれないし、女の子を好きになれるチャンスかもしれない、という希望的な考えに縋《すが》るようになった。

考えを改め、告白してくれた子と交際してみたけれど、結局、一ヶ月も経《た》たずに別れた。彼女は女性として十分魅力的だったと思う。問題なのは理人の方だった。

もしかしたらこの子とは相性が合わなかっただけかもしれない、と自らに言い聞かせ、その後も二、三人と付き合ってみたのだが……ことごとくだめだった。

それが仇《あだ》となり、いつの間にか理人は女子の敵として見られるようになったばかりでなく、男子にも「あいつはモテるのをいいことに女子をとっかえひっかえで、クールを気取っていけ好かないやつ」というふうに印象づいてしまったらしい。二年にあがる頃には、ますます周囲から敬遠されるようになっていた。

誰も理人の苦労など知らない。告白されて断る方だって罪悪感を抱いて苦しくなるし、振られた相手やその友達から敵意をむき出しにされればいたたまれなくなる。

いざ付き合ってみれば「なんか想像していたのと違う」とか「やっぱり別れましょう」と理人の方が振られているのだ。

そんな事情を他人が詳しく知るはずもなく、ますます理人は孤立した。

「なあ、おまえもそう思うだろ。あいつ、むかつくよなーいっつもすかしててよーあっちこっち手ェつけて何様なんだって話」

あるとき、クラスの五、六人の男子が窓際の席でわいわいとつるんでいたところ、中心の男子からそう話を振られた長谷川哉也の視線が、理人に向けられたのを感じた。

理人の席は教室のほぼ真ん中で、窓際を見ることなどめったにない。噂話をされても、いつもと同じようにそちらを見る気もなかった。

ただ声が聞こえ、視線が注がれることを感じつつ、気を散らすだけだった。

……一緒になっていくらでもけなせばいい。

仕方ないじゃないか。男にしか興味がないなんて誰も知らないんだ。

無論、この先ずっと誰にも口外するつもりはないが。

理人は心の中でバリケードを張った。この手の罵詈雑言《ばりぞうごん》には慣れている。なるべく聞こえなかったふりをして、次の授業のノートを広げた。

どうせ哉也も仲間の話題に乗っかって、他の男子と一緒にあれこれ言うのだろうと思った。わざと本人に聞こえるように言っているのもわかっている。こちらの反応をうかがっているのだろう。だからこそ動揺していないことを知らしめて、ざまあみろと見下した気分でいたいのだ。

ところが、哉也の答えは理人の予想に反した。

「あのなぁ、うぜー。そうやって偏見もつの、かっこわりーからやめろよ」

その言葉に、仲間が一斉にシンとなる。

理人も思わず振り返りそうになった。哉也はあっけらかんとつづけた。

「考えてもみろよ。あれだけぎゃーぎゃー女どもに言われたら誰だってうんざりするんじゃねえの。勝手に理想押しつけられる方も気の毒だろ。俺だったら逃げるね。ちゃんと向き合ってるだけマシだろ」

哉也の発言は、まさに理人の代弁だった。

しかし面白くないといったふうに男子のひとりが声を大きくする。

「はあ？　正当化してやるなよ。どう見てもヤリ捨てじゃねーの？」

「はいはい。女の嫉妬より、男の嫉妬の方がタチ悪いぞ」

さらっとした言い方の印象もあってか、哉也の方が正論に聞こえたのだろう。ちらりと理人が一瞥《いちべつ》すると、グループの男子はそれぞれが顔を見合わせ、バツの悪そうな表情で理人の方に視線を向けてきた。実際、哉也と目が合って誰よりバツが悪かったのは理人だったかもしれない。

腹の中で蔑んでいたのが急に恥ずかしくなる。

彼にかばってもらう義理なんてないのに。

「な、なんだよー長谷川、あいつの肩もつの？」

険悪にならないよう、メンバーのひとりが茶々を入れる。

「だから、肩もつとかそういうんじゃないって。誰かれ構わず手をつけるやつよりずっと好感もてんじゃん？」

まるでリスペクトするような言い草に、友人らは面白くなくなってきたらしい。今度は矛先を哉也の方に向けはじめた。

「あーはいはい。忘れそうになったけど、おまえもモテ組だもんなー！　ちくしょー」

「理由を教えてやる。バスケやってるからだよ。スポーツやってるときに男がかっこよく見えるとか、そういうフィルターで限定的に見えるだけ」

そんな哉也の意見は至極まっとうで、わざとらしい謙遜ではないから嫌味がなかった。

友人らも突っ込みどころのない話題にさすがに折れたようだ。

「んじゃ、俺もバスケやるか」

「俺も俺も。入部し直すわ」

ひとり、二人の冗談を皮切りに、笑い話に転じた。

すかさず哉也が突っ込みを入れた。

「バーカ。モテたいだけで長続きするか。バスケは遊びじゃねーんだよ」

そういう哉也の茶化したような返答は冗談なのだろうけど、半分は本気が入っている気がした。

本気だからこそバスケットボールに強いこの学校に外部受験で入ったのだろうし、実際、体育館で哉也のプレイを見たことがあるが、さすが中学一年からレギュラーで全国大会の出場経験があるというだけあって、先輩に引けをとらない実力の持ち主だった。

バスケの話題になると、ようやく場が和んだらしい。

笑いあう友人たちの声に、理人はホッと胸を撫《な》で下ろした。

すると、不意に哉也と目が合ってドキリとした。

目が合うのは二回目。

何のつもりでこっちを見たのかわからずに、思いきり動揺した。

こんな悪口など今にはじまったわけじゃない。誰かにかばってほしかったわけでもない。

でも、もしかしたらそう言い聞かせていただけで、実際は小さな痛みを我慢しているだけに過ぎなかったのかもしれない。それを哉也に見透かされた気がしたのだ。

そう感じた途端、唯一の味方ともとれる哉也の言葉が、あとになってじんわりと胸に迫ってきた。

それからだったと思う。哉也とよく目が合うようになったのは。

教室の真ん中に位置する理人の席は、廊下側の哉也の席から斜め前にあたる。だから、理人の方からはテスト用紙を配るときぐらいしか哉也のいる方向を振り返ることはない……のだが。

あまりにも視線を感じるから、ある日どうしても気にかかり、勇気を出して哉也の方を向いた。すると、タイミングよくばっちりと目が合い、なぜか哉也の方が慌てて姿勢を正していた。

「どうした？　うたた寝でもしていたか？」

教師に指摘され、哉也が苦笑いでごまかすと、教室がくすくすと和んだ空気に満たされる。

理人は申し訳なくなり、目で謝罪の意を告げた。哉也は気にするなといわんばかりに口の端をあげた。

そんなふうに目が合うことが一日に何度もあった。

振り返って哉也の視線と重なりそうになり、ぎりぎり免れるが、意識は常に哉也の方に向いていた。

やがて哉也から好意をもってもらえているのでは、という淡い期待を抱くようになった。

廊下ですれ違ったときには、視線を逸《そ》らしたりごまかしたりする方が気まずい気がして、理人はほんの少しだけ頭を下げてみることにした。哉也は一瞬だけ驚いたような顔をしたけど、嬉しそうにはにかんで同じように頭を下げてくれた。

些細なやりとりは毎日続いた。

だからといって、それから哉也が話しかけてくることはなかったし、反対に理人から声をかけることもなかった。哉也の周りにはいつも友達がいたから、容易に近づくことはできない。

相変わらず哉也は気の合う友達数名とつるんでいるし、理人は基本的にひとりが好きなので、時間があれば美術室にいることが多かった。

目が合えば挨拶する。けれど仲良くするわけじゃない。この不思議な関係をどう説明すればいいだろう。

たとえるのなら部活の先輩後輩が部活動以外で会ったときのような距離感といえばいいのか。いや、それより遠いのはたしかだ。先輩後輩なら一言ぐらい言葉を交わすだろう。

そういう日々が続くうちに、だんだんと哉也のことがただ気になるだけでは済まなくなってきた。哉也の楽しそうな声を聞くたび、身体は彼の方を向かなくても意識が引っ張られ、思わずにやけそうになってしまうこともあった。

授業で教師からあてられた哉也が英文を読んだ声に、うっとりと聞き入ってしまったり、体育の授業では哉也の姿をついつい目で追いかけてしまったりすることもあった。

他人の部活なんて気にする柄でもなかったのに、先生から頼まれた日直の仕事の帰りをよそおって体育館を通ってみたり、校門が見える位置にある美術部の部室から、哉也の帰りを見送ってみたりもした。

ほとんど無意識の行動だったと思う。

バスケをしているからモテる……と、いつだったか哉也が言い訳をしていたが、それはある意味本当だと思う。もともとのよさがさらに輝いて見える。

とくに哉也の大きくて武骨な手はかっこよく、彼が放ったボールが弧を描いてリングにすぱっと入る様子は、見ていて気持ちがよかった。

きっとあの手は……触れたら体温が高いんだろうな、触れられたらどんなふうに感じるだろう、あの力強い腕に抱きすくめられたなら、と、妄想ばかりが膨らんで止まらなかった。

夏休み中は会えない日々がもどかしく、早く新学期がはじまればいいと願うほど哉也に恋焦がれていた。

長い夏休みが明けて、ようやく会えると胸を弾ませて登校してみたものの、哉也は休みでがっかりしてしまった。風邪でも引いたのか、三日過ぎても長身の姿が見えなかった。

まさか学校を辞めたとか、転校することになったとか。

そう考えて、理人はいても立ってもいられなくなった。

名門に通わせているだけあって大企業に勤める保護者も多い学校で、突然の海外転勤というのもままある。まさか哉也も……と不安になったのだ。

日直であることを利用してさりげなく担任に尋ねたところ、大会で怪我《けが》をしたから大事をとって休んでいるのだとか。でもそろそろ来るはずだと教えられた。

もうすぐ会えると思うとホッとしたが、次には怪我をしたというのはどの程度なのだろうと心配になった。

一言も話したことのないクラスメイトなのに、まるで親友のようだ。そんな自分が滑稽《こっけい》だったし、なんだかたまらなく寂しかった。

友達だと胸を張って言える関係ならば、家に会いに行くこともできるだろうし、連絡先にメールなり電話を入れることだってできる。登校したら大丈夫かと声をかけることだってできる。

けれど、理人にはその権利がない。

つまり部外者……それだけに過ぎない。

夏休みが明けて四日目、窓の外を眺めても、一向に哉也の姿は見えなかった。

長い、長い、ため息がこぼれてしまう。

「どうしたの？　一ノ瀬くん、最近、落ち着かないよね」

放課後、美術部の部長から声をかけられて、ようやく理人は我に返った。

「え？」

……俺、今、何考えてたんだ。もう、ずっと長谷川のことばかりだ。

今、何やってんだっけ。ぼうっとする頭を振って、手元を見ると、まっしろなキャンバスには園児が描くようなぐちゃっとした線画があった。

「外ばっかり見てるから。デッサンも狂ってるし」

頭上から呆《あき》れたような部長の声がおりてくる。

「……わ、本当だ。すみません」

言われるとおりにデッサンは狂いまくっていた。というよりも輪郭すら哉也を思わせるような形に変わってしまっている。

林檎《りんご》や桃や籠といった静物画を描いていたはずなのに、人物画とかあやしすぎる。理人は慌ててキャンバスを下げた。

……これ、ストーカーだよな。

内心で自嘲して、ため息をつく。

恋はするものじゃない。

まして相手が男だなんて叶う可能性は限りなく低いのだから。

そもそも、これはまだ恋じゃないだろう?

そうだ。他と違う反応を見せる哉也が気にかかるだけだ。

繰り返し自分に言い聞かせて、傾きかけていた気持ちにストップをかける。

あんなふうに自分を好意的に受け止めてくれてる哉也でも、さすがに理人のマイノリティーな性癖を知ったら絶対に引くと思う。

もしも、万が一にも、興味をもってもらえたとしても……それは自分と違う人種への好奇心をくすぐられただけだ。結果、傷ついて終わってしまうに決まっている。

けっして卑屈な思いこみなんかじゃない。そういう恋を理人は既に経験していた。

一ノ瀬家は由緒ある家柄で、理人は跡継ぎとして幼い頃から両親に厳しく躾《しつ》けられてきた。

父は亭主関白タイプで、母は父には絶対に逆らえない人だった。両親ともに一流企業の重役を務めていたので、幼い頃は祖母に預けられ、傍《そば》には父と同じ年ぐらいの執事が常についていた。

中等部に入った頃、執事が定年を迎え、若い男性が教育係としてやってきた。定年になった執事は父の手駒として優秀ではあるものの常に理人には事務的に接してきたが、新しくやってきた彼はやさしげな笑顔の似合う青年だった。

厳格な父とは正反対の温和な男性に癒しを求めていたのかもしれない。いつしか心の拠《よ》り所になっていた彼に対して、淡い想いを抱いた。

それは、信頼とは別の感情だ。

最初は理人も戸惑った。けれど、どうしても彼のことばかりを考えてしまうのだ。あまつさえ女性には感じない胸の高鳴りや欲求の昂《たか》ぶりさえも感じ、そのとき初めて理人は、自分が普通とは違う性癖の持ち主だと自覚した。

彼を想えば衝動的な感情が飛び出しそうになり、胸がちりちりと痛むような気持ちを味わった。自慰行為を覚えたのもその頃だ。けして叶うことのない想いを抑えつけているのが苦しくなり、彼に抱かれることを想像し、頭の中で何度も彼を穢《けが》した。

そんな理人に転機が訪れた。

中等部を卒業し、高等部への進学が決まったある日のことだった。

折り合いの悪かった父と将来のことで衝突し、なだめる教育係に、感情的になった理人は思わず自分の想いをぶつけてしまったのだ。

――俺を本気で大事だと思うなら、こんな家から連れだしてほしい、と。

当然、教育係は困惑した顔を浮かべた。理人自身、子どものようなことを言っているのはわかっている。けれど、言わずにいられないほど感情的になっていた。

しばらく沈黙が流れた。自分の不甲斐《ふがい》なさに泣きたくなり、彼から離れようとした。そのとき、あたたかな温《ぬく》もりが唇に触れた。

何が起こったのか一瞬わからなかった。男が繰り返し唇を求め、背中に手を這《は》わせ、吐息を荒くしていることだけが、非現実的な映像として飛び込んでくる。それは独りよがりの妄想の中で彼を穢したときの断片的な記憶とよく似ていた。けれど、想像していたものや自分で慰めることよりもはるかにつよい快楽に導かれ、理人は夢中で男に縋った。

このままどうなったって構わない。感情的になっていた分、彼への恋心がよりいっそう強まり、理性の崩壊へと導かれたのもあっという間だった。

既に警戒心など忘却の彼方にあった二人は、両親が戻ってきたことに気づかなかった。

父親の目には、教育係が理人をむりやり襲ったように映ったのだろう。母親は悍《おぞ》ましいような目つきで、二人を交互に見、我が子を守ろうとするが足が一歩も動かないといった様子。一方、父はどういうつもりで手を出したのだと、激昂《げっこう》のままに男を殴った。

理人が言い訳をする間もなく、男は頭を下げた。

『興味本位で、手を出してしまいました。申し訳ありません』

……興味本位、という言葉に、昂ぶった熱が一気に醒《さ》めていくのを感じた。

当然、許されるわけもなく、その日のうちに男は解雇され、追い出されるようにして家から去った。両親はまた出張で海外に発った。理人はあっけなく恋を失い、独りになってしまった。

興味本位……あれが彼の本心だったのだろう。最後まで目も合わせてくれなかった。

理人は身体の関係を迫ったわけではない。想いを受け止めてほしかったのだ。けれど、彼は好きだから触れたかったわけではなかった。

（……あんなふうに、もう誰かを好きになりたくはない。嫌われていた方が楽なんだ）

それ以来、理人は人と深く関わりを持ちたくないと思っていた。表の表情からは読みとれない人の裏の感情が怖かったのだ。

（……いやなことを思い出した。盲目的な恋はするもんじゃない）

理人は美術部の部屋に漂う絵具の匂いを嗅ぎながら、自分の手に目を落とし、再びため息をこぼした。

それから苦々しい過去を洗い流すように、居残りをして水彩画のキャンバスに手をつけた。

実は理人が一番好きなのは水彩画だった。ブラシを使った加工でパステル色を使ったキラキラした絵を描くのが好きだ。クラスの授業でこんなことをしたら気持ち悪がられるのがオチだけれど、美術部でいくら何をしようと芸術作品の一部なのであれば問題ない。思う存分していられる。

幼少の頃から厳しく躾けられ、個性という個性を無視されつづけてきた。古めかしい家のしきたりは日々息苦しく、自分が生きているというよりも生かされていると感じてきた。

そのうえ、跡取りとして子孫を残していかなくてはならない義務があるにも関わらず、男性を好きだなんて自分は欠陥品にもほどがある。

本当のことを言えずに、過去の過ちを穢れたものとして葬り去られ、未だに親から一心に理想を押しつけられる日々……。

だからこそ、キラキラと輝くものに目を奪われる。けして自分には手に入れることのできない夢や希望が、そこにあるから。

こうしている時間だけは、光を感じていられるから——。

没頭するように制作をつづけていたところ、誰かの気配を感じて、理人はハッと我に返った。

そして美術室の入り口に立っていた人物を見た瞬間、理人の鼓動は大きく跳ねた。ずっと会いたかった哉也がそこにいたからだ。

「あの、もう、部活……は、終わり？」

二人きりで言葉を交わすのは初めてだというのに、出てきた言葉はまるでずっと友達だったかのよう。それ以前に、今日まで休んでいた哉也のことを知っているくせに部活がどうとか的外れもいいところだ。

「えっと、あれ……復活したんだね」

理人は何と言っていいのかわからないまま、どうしようかと焦った。

哉也は意に介したふうもなく、ふらりと美術室の中に入ってきて、理人のキャンバスを眩しそうに眺め、さらりと言った。

「明日からは学校来るよ。でも、部活はもうやらない……っていうか、やれなくなった」

「え？」

意味深な言葉に、理人は思わず哉也の顔をじっと見つめ返した。

軽やかによそおった口調はかえって痛々しく感じられ、心配になったのだ。

怪我をした……と担任から聞いたことが脳裏をよぎって、重苦しい気持ちになる。

「どうして……えっと、顧問の先生と喧嘩《けんか》とか、仲間割れとか？」

見当違いなことを言っていることはわかっている。なんとなく怪我が原因だと言い当てたくなかった。すると、哉也が心外だという顔をする。

「一ノ瀬には俺ってどう見えてるわけ？　これでも一応、平和主義者のつもりなんだけど」

責めるような言葉ながら、理人の言葉がおかしかったらしい、哉也は白い歯をのぞかせて笑った。

「ご、ごめん。別にそういうつもりじゃなくって……」

「いや、こっちこそ意地が悪かったな。気を遣わせてごめん。実を言うと……俺、大会で膝を怪我したんだ」

やっぱり、と悪い予感に胸がざわつく。

哉也はテーブルに寄りかかって、キャンバスの絵の方へ視線を寄せたまま、話を続けた。

「夏休みの間リハビリしてて、遊ぶ暇もなかった。でも、色々吹っ切れたっていうか……好きなことだけをしてもいられないって覚悟が決まったよ」

理人は口を挟まずにただ哉也の話に耳を傾けた。吹っ切れたという哉也の言葉を疑うわけではないが、彼の明るい瞳の色に陰りがあるような気がして。

しかし怪我の件には触れてほしくなかったのか、哉也はすぐに話を変えた。

「それより、ずいぶん熱心にやってるんだな。コンクールに出すとか？」

「そういうわけじゃないけど……」

理人はどう答えていいか考えあぐねる。

別にコンクールに出したいわけじゃないし、部長に集中しきれていないことを指摘されたばかりだ。

「いや、夏休み前からもうずっと、いっつも遅くまでいるだろ？　ちょうど帰り際に見上げると、一ノ瀬の姿が見えるからさ」

涼しげな黒糖色の瞳が、好奇心に満ちた色をのぞかせている。

「……え」

理人はかぁっと頬が熱くなるのを感じた。

待ちわびるように窓の外を眺めていた理人と、下から哉也が見上げてくれたことが脳内でひとつのキャンバスに描かれ、ひどく羞恥心を煽《あお》られる。

まるで恋をしあう二人のようだ、と妄想が駆けまわってしまうのだから始末におえない。

勝手に意識して赤くなっている顔を見られやしないかと焦りながら、理人はまくしたてるように言った。

「俺、家よりもここが落ち着くから好きなんだ。なんていうか……あ、アクリルとか油彩とかの独特の匂いに包まれてると、ひとりでいることも苦にならないっていうか。水彩に……その、没頭してると、何もかも忘れてられるっていうか……だから、さ」

それは適当な言い訳というわけではなく、理人の本心だった。

明治時代から続いている由緒正しい名家の広い屋敷には、不在がちな両親の代わりに使用人たちが数名いるのだが、どこかへ出かけるにも『旦那様から言われておりますので』と理由づけて干渉してくるのがわずらわしかった。教育係との一件以来、監視が厳しくなっているのだ。

父が不在で出ているときはまだいい。家にいる時間などは最悪だ。将来の方向性について聞いておきたいと書斎に呼び出され、グループ会社への就職を今から考えるように、と押しつけられる。

本当は家でもスケッチをしたり水彩を描いたりしたいのだが、父がそれを見つけたら、そんなことをしている暇があれば勉強しろと言ってくるだろう。

そういうわけで、理人の唯一の居場所といえば、美術室だったのだ。

何も考えずに自然体で、好きなように心を休めていられる場所はここしかない。

「そっか。じゃあ、一ノ瀬と話をしたいときは、ここに来れば会えるんだな」

ほんのわずかだが、哉也の口角があがる。

「え？」

思いがけない哉也の言葉に、また鼓動がトクリと跳ねる。

「また来てもいいか？　ここ」

「……え、あの……」

哉也はどういうつもりで言ったのだろう。

期待させるようなことを言わないでほしかった。

待っていたら哉也が来てくれるかもしれない、と思ってしまうから。

胡乱《うろん》な視線を向けられているのが伝わったのだろう。哉也は途端に背筋をしゃんと伸ばし慌てて訂正した。

「あ、迷惑だったら帰れって言って。一ノ瀬ってさ、つるんだりするの、あんま好きじゃないよな。教室でも声かけたかったんだけど、近寄ってほしくなさげだったから……ごめん」

哉也が柄にもなく顔を赤くしているものだから、理人は思わず笑ってしまった。自分よりも体格のいい彼が、まるで母の日のプレゼントを渡す前の少年のような仕草をするのにきゅんとする。

声をあげて笑う理人を見て、哉也がぽかんとした顔をした。

「初めて笑ったところ見た……」

感激したように言うものだから、理人の方がきまり悪くなる。気分を害したとでも誤解したのか、哉也がまた慌てて訂正する。

「言っとくけど、悪い意味じゃないからな」

焦っている哉也を尻目に、ふいっと視線を外しつつ、理人は口を開く。

「いいよ。長谷川だったら、邪魔にならない」

ごく自然に振る舞ったつもりだけれど、そういう不遜な言い方でしか返せない自分がもどかしい。内心では構ってもらえるのが嬉しくて、もっと一緒にいたいし喋《しゃべ》りたいと思ってるくせに。

心の中で自分にそう毒づきながらも、自然と口の端があがっていることに気づく。似た者同士じゃないか、と思ったらなんだか笑えてきたのだ。

「サンキュ。じゃあ、俺はそろそろ帰るわ」

「うん。じゃあ、また」

また、と言った言葉に、哉也は嬉しそうに笑顔を向け、美術室から出ていった。

さっきまで美術室独特の匂いが充満していた中に、爽やかな香りが漂っている。哉也のつけている香水のせいだろう。

ふわふわと鼻腔《びこう》をくすぐる残り香に、甘酸っぱい想いを抱きながら、理人は描きかけだったキャンバスに新しい色を足した。

それは今までで一番明るい色彩だったと思う。たとえるのなら、黎明の空に輝く明星のような。

理人にとって哉也の存在はまさにそうだった。

それから、哉也とは相変わらず教室では話をしないが、美術室でよく会うようになった。

他愛もないことを色々話した。たいてい哉也が話をもちかけ、理人が答えるような形で、次から次へと話題が広がっていくので、話下手な理人には心地がよかった。

ずっとそういう日がつづけばいいと思っていた。

恋が壊れたり、別れたり、そういう痛みはもう要《い》らない。

ただ好きな人が傍にいればそれでよかった、はずだった。

このときまでは——。


「いらっしゃいませ。ご予約ありがとうございます。さっそくこちらへどうぞ」

理人は初めて来店した女性客へ、恭しく挨拶をする。

そして、彼女の隣に立っている見目麗しい彼に緊張しながら声をかけた。

「お連れ様はよろしければ、こちらの待合室へどうぞ」

社交辞令だと思っていた再会の約束は、思いがけないほど早くに叶えられた。

翌週の金曜日に、予定どおりに哉也が女性を連れてやってきたのだ。

予約はだいたい二週間先や一ヶ月先まで埋まっていることが多いのだが、キャンセルが出た日に運よく予約をとれたらしい。

理人の関心はすぐに哉也と女性の関係に移った。会社が一緒というだけなのか、それとも社内恋愛でもしているのか。けれど、無粋なことは聞けない。

スタッフと見本のチップを見て盛り上がっている女性を尻目に、哉也がバツの悪いような顔をする。

「なあ、俺がいると邪魔になったりしないか？　迷惑だったら言ってくれ。時間潰してくるから」

たしかに、ちらちらと哉也の方へ視線をやる女性が少なくない。

「ああ、気にしないで。彼氏を連れてくるお客さんもたまにいるから大丈夫だよ。そういうときはこの待合室でコーヒーを飲みながら待っていてもらうんだ」

理人の説明でホッとしたような顔をしたあと、哉也がなにやら手元にあったメニューに目をとめる。

「ずいぶん種類があるんだな。リフレッシュ……ハンドマッサージもしてもらえるのか」

哉也が感心したように言い、なにげなくメニューの一覧を目で追う。

「ああ、うん。手や爪の手入れだけに来るお客さんもいるよ。自分でネイルを塗りたいという人には塗り方をアドバイスすることもあるし……一緒に来た彼氏から暇だからってお願いされるときもある」

理人の言葉に食いつくように哉也が尋ねてきた。

「それならさ、これって俺が頼んでもＯＫ？」

「え？」

思わず理人は哉也とメニューを交互に見てしまった。

「いや、待合室でコーヒーっていうのもいいけどさ、なんか冷やかしに来たみたいで落ち着かないから。まさかネイルをしてもらうわけにいかないしな」

「気を遣わなくてもいいのに。それは……もちろん、希望するならやるけど。えっと……今、手の空いている子がひとりいるから、声をかけてくるよ」

「おまえはだめなのか？」

「……っ」

これにはどう反応すべきか、理人は思いっきり動揺して、言葉にならなかった。

「あ、いやじゃないならな。ほら、女性に男の手を触らせるのもなぁ、と思ってさ」

まさかそうくるとは思わなかった。

哉也の言うことは一理ある。

普段でも理人がつきっきりで女性の手に触れているのを恐縮することだってあるのだから。

理人もマッサージするのがいやなわけじゃない。けれど、触れることを許されたことに驚き、戸惑っていた。

——触れてもいいの？　俺にそんな資格があるの？

「いい……の？　あの、本当に気を遣わなくても……」

「いいんだよ。そっちこそ、客が言っているんだから、気を遣うなよ」

「わかった。じゃあ、悪いんだけど、席を移動してもらえるかな？」

マッサージはパーテーションの仕切りのある場所でやることにしている。なるべくリラックスしてもらいたいからだ。

待合室からだと店の様子はガラス越しに見えるが、向こうからは見えない。つまり哉也と二人っきりという状態だ。平静をよそおいつつも頭の中はパニックだった。

めったに入る機会なんてないから、と言いながら、哉也は店内の様子をきょろきょろと眺めたり、壁などに貼られた広告や手元のメニュー、ジェルネイルの小瓶や道具類を興味深そうに手にとっていた。

理人は哉也の気が逸れている間にさっと準備をして、意識してしまわないうちにハンドマッサージ用のジェルを手に垂らしていくことにした。

「いい？　最初はちょっとひんやりするよ」

その掛け声は、哉也のためにしたのであるが、内心は自分のためにあったものかもしれない。

相変わらずバスケットボールなど余裕で摑《つか》めるような大きな手……。

武骨な感じがするのにすらっとしたしなやかな感じがかっこいい。

あの頃、好きだった手だ。

じわり、と濡れた皮膚から感触が伝うたびに、胸が熱くなってくる。

哉也を意識しつつも、彼の顔がうまく見られない。

今、彼の視線はどこにあるのだろうか、と気になりながらも、やはり彼の顔が見られない。視線が合ってしまったら、絶対に顔が赤くなるに決まっている。

「もしも触れてほしくないところがあったら言って」

当然ながら客にこんな口調で接することはない。

勤め先に友人が来ると気恥ずかしい、と従業員が言っていたことがあったが、それがなんとなくわかった気がした。

「高校のとき、美術関係の仕事をしたいって言ってたよな」

懐かしそうに哉也が目を細めたようだ。

理人は緊張しないようになるべく視線を合わせないようにして頷《うなず》いた。

「うん……」

「でも、まさか、ネイルアーティストになっていたとは思わなかった。こんな小さい爪に何種類もデザイン……これも考えてるんだろ？」

ネイルのカタログと展示用のネイルチップを眺めながら、哉也が感心したように言う。

「……自分でも予想しなかったことだから驚いてるよ」

「親はなんて？」

「もちろん勘当さ。でも、家を出てよかったと思ってる。今ではね」

なるべくさらっと答えたつもりだが、哉也の表情が気まずそうに曇る。

「……あれこれ聞いて悪い」

「構わないよ。もう過去のことだから」

そう、過去のことなんだから……動揺したりするな。

理人は自分につよく言い聞かせる。

さっきから平静を装っているつもりだが、指先の震えが止まらない。

客のハンドマッサージなど慣れているはずなのに。

他人の手に触れることも慣れたはずなのに。

でも、哉也は他人じゃない。

好きだった人だ。

一度は触れあった手、そして自分から振り払ってしまった手。

そして何に代えてももう一度触れたいと願った手……。

過去の感情が蘇ってきそうになるのを抑えながら、理人はジェルを手に塗りこんでいく。

この手が好きだった。

この大きな手が好きだった。

なぜ、離れてしまわないといけなかったのか、と未だに後悔している。

そして、今なぜこんな形で触れあっているのか、とても奇妙で……まだ信じられなかった。

哉也の節くれだった指先に触れながら、理人は高校時代のことをぼんやりと思い返した。

あれは、ちょうど今ぐらいの季節。

銀杏《いちょう》の葉っぱが緑から黄色へと色を変えていく頃だった。

高校二年の秋ともなると本格的に進路を決めなくてはならない。二人は美術室で進路調査票に記入しながら、将来の話をした。

哉也の父親は海外進出しているクレッシェンドホテルグループのCEOだから、将来は父の跡継ぎとしてグループ会社に入社することになるだろうと腹を括《くく》っている様子だった。

親の決めたレールに乗ることをとりたてて悲観している様子はなく、自分の使命だと受け止めているらしかった。

いちいち親に反抗的な態度をとりながらも鬱々《うつうつ》としているしかない理人と比べ、哉也のそういうさっぱりしたところが大人っぽく見えた。

怪我のせいでできなくなったバスケのことはどう考えているのか、という話題には一切触れなかった。

理人が放課後の美術室を自分の癒しの場所と考えているのと同じように、哉也にとってもそうでありたいと思ったのだ。

誰だって言えない秘密のひとつやふたつはある。そっとしておいてほしいことがあるのだから、二人でいるときは自分たちの傷を抉《えぐ》るようなことをしたくなかった。

もしも話したくなったら話せばいいし、話をしてくれたなら聞いてやりたい。哉也もそう考えてくれているのか、クラスメイトでありながらクラス内の話題はほとんど出なかった。

二人が話すのは、ほんとうに他愛もない話。昨晩見た刑事もののテレビドラマがどうとか、最近はまっている本の内容だとか。

哉也とは意外に感性や好みが似ていて、笑いのツボまで一緒だった。今まで誰にも感じたことがないくらい、彼といると居心地がよかった。

けれど、ともに過ごす時間が幸せな一方、胸の疼《うず》きはひどくなっていくばかりだった。彼を好きだという気持ちが、ちょっとした拍子に押し出されてしまわないか、いつも心配だった。

一緒にいればいるほど哉也のことが好きでたまらなくて、気づいたら友情では片づけられない感情が芽生えていたのだ。

哉也との関係は、何よりも大切で失いたくないものだった。

もしも哉也への気持ちが彼に知られたら、友情は間違いなく破綻するだろう。気持ち悪がられるか、きっぱり振られるか、その二択しかない。だから理人はどんどん膨らんでいく欲求を抑えながら、何でもないふりをしつづけた。

時々、哉也はデッサンの練習に付き合ってくれた。理人が水彩の制作に夢中になっている間はすぐ傍で黙って参考書を読んで、いつの間にか眠っていることもあった。

そういうときは、理人がいたずらに哉也の寝顔を描いてみたり、いつの間にか一緒に眠くなって、見回りの教師に叱られたりすることもあった。

とにかく一緒にいる一日一秒が貴重で、二人で冒険しているみたいで、ずっとこんなふうにしていられたらと思うほど幸せだった。

あと一年高校生活がある。このまま一緒に星稜大学に進めたら……と考える一方、その先のことを思うと億劫《おっくう》になった。

相変わらず理人のやりたいことは美術系の仕事だ。

まず、許されることはないだろう。親からは経済学部を志望しておきなさいと言われている。哉也のように親の跡を継ぐということに対して理人はまだ納得しきれておらず、進路調査票は白紙のままだった。

とりあえず出してくれ、と担任から言われ、理人は進学希望とだけ書いて出すことにした。

その帰りのことだった。

鬱屈した気分で教室に戻ると、クラスメイトの女子が泣いていた。

一瞬、教室に入っていいか躊躇《ためら》った。鞄《かばん》をとりにいきながら、ちらりと一瞥《いちべつ》すると、その子は、剥がれかけた爪のネイルを押さえている様子だった。まるでキャンバスをむりやり破いたような、描きなぐったような状態に愕然《がくぜん》とする。

なんだか放っておけない気がして、理人はそっと声をかけた。

「どう、したの？　それ、綺麗だったの、剝がれてるよね」

ビクリ、と身体を揺らし、彼女がこちらを見る。大きな瞳には涙がいっぱいたまっていた。

「彼氏とデートの約束してたんだ……けど、いじわるされちゃって」

嗚咽《おえつ》交じりに聞こえる声は頼りない。なんとなく理人は状況を察した。

彼女の名前は菊池莉子《きくちりこ》。

つい先日、クラス一の美女だと男子にちやほやされていた子だ。

おそらく妬みにあってしまったのだろう。理人はなんとなく自分と重なるところがあり同情してしまった。

「ひどいことするね。デザインにはなんの罪もないのに」

「今日、彼氏の誕生日なんだ。できるだけ可愛くしていきたくて、がんばったのにな……約束の時間まであとちょっとだし、もう間に合わない」

理人は「そうだ」と声をあげた。

不意に鞄の中に入っているアクリル油彩具のことを思いついたのだ。

「えっと、菊池さん？　よかったら手を出して。ネイルだったらできると思う。なるべく急いで元通りになるようにやってあげるよ」

「え？」

驚いたように瞳が大きく見開かれる。

それも無理はない。男がネイルを塗ると言っているのだから。

「あ、俺、従姉妹《いとこ》にやってあげたことがあったんだ。これでも器用な方なんだよ。美術部にいるし、将来はそっち方向に進もうと思ってるんだ」

不審がられないように理人はそう言った。

進路調査票も出し渋っていたくせに何を得意げに言っているのだろう、と心の中で自嘲しつつも、嘘《うそ》をついたわけではなく半分は事実だ。

親戚の結婚式のときに、控室で塗ってあげたことがあるのだ。

半信半疑の顔をしていた彼女だったが、こうしていても埒《らち》があかないし、と任せてくれた。

小さなキャンバスにキラキラ輝く色、宝石、デザイン。

やっていると、理人の気持ちまでだんだんと明るくなっていく。彼女が描いたデザインにすべて上描きをするようにして左右の手のすべての爪を修正していく。

どのくらい経過したことだろう。そんなに長い時間ではなかったように思う。

「――できた」

我ながら満足したデザインができて嬉しくなる。水玉模様とストライプの組み合わせがオシャレで、気持ちが明るくなる爽やかなデザインだ。

仕上がった爪を見て、莉子はわあっと感激した。

「驚いた。プロみたい！　一ノ瀬くんって器用なんだね。っていうか才能あるよ。ありがとう！　すごく助かった」

彼女の涙が宝石のように眩しく輝いていた。ちょうど爪に添えられたラインストーンとお揃《そろ》いのようにも見えてくる。

「あ、えっと……役に立てたようでよかった」

理人にも知らずに笑みが浮かぶ。

「あ、笑った」

莉子が興奮したように言う。

「え？」

「一ノ瀬くん、一ノ瀬くん」

「う、うん？」

理人は戸惑いながら返事をする。

「絶対に笑った方がいいよ。かっこいいし、可愛いよ」

「そう、かな」

うんうん、と莉子は笑った。

大して交流したこともないクラスメイトだけれど、彼女の言葉は素直に聞き入れられた。きっと下心のない無邪気な発言だったからだと思う。外見を褒められてもまったくいやな感じはしなかった。

「じゃあ、私さっそく彼氏のところに行くね。ほんとにありがとう！」

バイバイと軽やかに手を振る彼女を見て、理人の心はさっきの鬱屈とは打って変わって晴れやかだった。

すると、入れ替わりで誰かが入ってきた。

「意外な場面に遭遇した」

その声に理人は振り返る。哉也が教室の入り口に立っていた。

今のやりとりを見ていたということだろうか。

「いつからいたの？　のぞくなんて悪趣味」

理人は照れ隠しに悪態をついてみる。

「べつにのぞき見してたわけじゃない。入るに入れない雰囲気だったからだよ」

きまり悪そうに哉也が言う。

「冗談だよ。なんか女子同士でいざこざがあったみたい。ネイルが剝がされたらしくって、泣いてたんだ」

事情を話すと、哉也はげんなりした顔をした。

「マジか。そういうのってめんどくさいよな。で、慰めてたってわけ？」

「うん……なんか見てしまったら放っておけなくて。俺、手先だけは器用だからさ。女の子の手って可愛いよね。小さくて」

理人がさっきのクラスメイトを思い出しながら微笑んで言うと、哉也が絶句したように理人を見る。

変なこと言った？　と見つめ返すと、本気で問い返された。

「一ノ瀬……ああいう子がタイプとか？　いや……全然おかしなことじゃないけど、意外すぎて」

どうやら変な誤解をしてしまったらしい。理人は慌てて訂正する。

「違うって。あの子は彼氏と約束してるんだよ。だいたい、俺が好きなのは長谷川みたいな、大きな手——」

哉也の武骨な手を見ながら、ぽろりと言ってしまい、ハッとする。

あまりにムキになっていたらしい。哉也がぽかんとしている。

「えっと、だから……俺は……」

かあっと顔が火照る。

やばい。必死に押し隠しているというのに、自滅してどうするんだ。なんとか言い訳を考えようとするけれど、言葉が見つからない。顔から火が噴きそうだったのはもちろん、哉也がドン引きしているのではないかと思って、卒倒しそうになる。

「だ、だから、そう思ったんだ。デッサン映えするし、男らしい感じするだろ？　そういう手に憧れるんだっていうか、羨ましいっていうか」

やっとのことで出てきた言葉はそれだけ。

胸の中は弾んだボールが収まるところを知らずにバウンドしているかのよう。

この想いは、自分が思っている以上に重症らしい、とこの日ほど思ったことはない。

意識しているうちはいい。それが無意識の潜在的なものになり、当然のことのようになってしまったら、もう抗《あらが》えなくなる。そうなってしまうのが怖い。

普通に女の子を好きになれる哉也との恋など、叶うことなんてないのに。

「俺は一ノ瀬の方が好きだよ」

ポツンと、静寂な教室に、それは甘く響いた。

「え？」

きっと間抜け面をしていたと思う。

聞き間違いじゃなかったら、好きだよ……と哉也は言った。

けれど、理人のように動揺している様子はなく、いつも以上にふんわりとしたやさしい笑みが浮かんでいるだけだった。

「一ノ瀬の手。綺麗だよなって思ってた。とくに絵を書いてるときは見惚れる。今も、真剣にネイル塗ってる姿が、羨ましいぐらいかっこよかったよ」

意表をつかれ、どぎまぎする。

「そう？　かな」

「ああ。だからなんか邪魔しちゃ悪いと思ったっていうより、見ていたかった……ってのが本音」

理人は嬉しさゆえに恥ずかしくなって、視線をふいっと逸らした。

「長谷川は本当に珍しいね。こんな俺に構ったりするところもそうだし、普通は女みたいなことしてるってバカにされてもおかしくないのに」

「バカになんてするかよ。あの子にとって大事なものを、おまえは救ってやったんじゃないか。一ノ瀬のそういうところを尊敬しているんだよ」

「尊敬なんて……たまたまだよ。基本、人を拒絶してる人間だし」

「べつに八方美人になる必要ないし、それが個性なんだからいいんじゃねえの。俺はずっと一ノ瀬がクールなやつだと思ってたけどさ、接してみるとそれだけじゃないってことわかったし、個性は大事にしていいと思うよ。なんていうか、そのうえで、理解してくれる人間がひとりでも傍にいればそれでいいんじゃないか……って、俺もたいがい偉そうだよな」

哉也が熱弁してから照れたように髪をかきあげる。そういう仕草が、彼の言葉が、じれったい温かさで胸をくすぐった。

「ありがと。べつに落ち込んでるわけじゃないんだけど、励まされた気分だよ」

「いや、だから、そういうつもりじゃないんだけどさ」

「わかってる。俺も、わかってくれる人がいればそれでいいって思うよ」

そう言いながら、理人は自然と微笑んでいた。すると、哉也も嬉しそうに笑う。

笑った方がいいよ、と言ってくれたさっきの子の声が蘇った。

自分がどんなふうに笑っているかなんてわからない。

たぶん哉也といるときの自分は幸せそうにしているんだろう。

そして何より、哉也の笑った顔が好きだ。

人が笑顔になる瞬間が、こんなにも心地いいものだなんて知らなかった。それも、自分だけに向けられる笑顔が、これほど眩しくて愛おしいものだなんて知らなかった。


「――あの、さ」

あたりの柔らかい声がやたら大きく聞こえて、理人は我に返る。

あの日と似たアクリルの匂い……でも今は教室ではなく、サロンの中だ。

いつの間にかずいぶんと昔のことに浸ってしまっていたみたいだ。

「うん？　あ、ごめん。痛いとことかあったら言って、触れられたくないとことか」

「いや、逆だ。気持ちいいよ」

それから、哉也は口を噤《つぐ》んでしまった。

何を言いかけたのだろう？

沈黙がやたら長く感じる。哉也の視線が遠慮がちに向けられているのを気配で察して、理人はあえて彼の方を見ないようにマッサージに集中した。

——相変わらず格好のいい手だ。

それは見たままの感想ではなく、哉也の手には安心させてくれる包容力や、彼の内面を表すオーラがあるのだ。

体温が高いのは相変わらずで、節くれだった指先に触れるたび、初めて触れあった夜のことを思い出さずにいられなくなる。

『あのとき』この手で……高みにのぼりつめた日のことが、鮮明に蘇ってきてしまう。哉也へ対する想いが少しも消えていないことに気づかされる。

不意にきゅっと手を握られ、理人は驚いて哉也を見た。

「今度は、俺ひとりで来てもいいよな」

断定的な言葉にドキッとした。理人が動揺している隙に、間髪入れずに哉也が問いかけてくる。

「こういうのだけで来られるのって迷惑？」

子犬のような瞳を向けられて、しどろもどろになる。

大型犬みたいななりをしてグイグイ来るくせに、時々こうして母性いや父性本能をくすぐるような眼差しをするときがある。そのたびに理人はきゅんきゅんして胸を痛めてきたというのに、わかっていないからタチが悪い。

「いや、そんなことはないけど……せっかくなら二人で来た方が、えっと、割引もできるんだ」

どうにか動揺を押し隠しながら、理人はあくまで客への提案をする。

「そっか。その方が得ならそうしようか」

哉也はさらっと言う。

もしかして今のは冗談で返すべきだったところなのか？

相変わらず機転の利かない己を反省し、理人は耳まで熱くなっているのを悟られないように手を離し、蒸しタオルを封から開けてくるくると広げる。そして今しがたマッサージしていた哉也の手をそっと包みこんだ。

ずっと触れたかった手がここにある。

夢でも幻でもなく、ちゃんと血の通ったあたたかい哉也の手が。

どれほど触れたかっただろう。

どれほど呼び止めたかっただろう。

何度、懺悔《ざんげ》をしたかっただろう。

うつむいていたら涙が滲《にじ》んでこぼれでてしまいそうだった。

今、改めて思う。

どうして、あの日はこんなふうに受け入れられなかったのだろう。

『あのとき』手を振り払わなければ……。

もっと自分の気持ちに素直になっていれば。

今ならそう思えるのに。

なんて幼かったのだろう。


哉也が女性と一緒に帰ってからも、しばらくその手の感触が忘れられなかった。店を閉めてアパートに帰宅してからも、少しも胸の閊《つか》えがとれなかった。

哉也の手の感触、温もり、笑った顔、あたりのいい柔らかい声。

ずっと会いたかった人がさっきまですぐ傍にいたことが信じられなくて、まるでふわふわとした夢の中にいるような気分だった。

哉也からもらった名刺をジャケットの胸ポケットから取り出し、クレッシェンドホテル東京本社、広報課一課主任……という文字をなんの気なしに指でなぞってみる。

想像していたとおり、哉也は父親がＣＥＯを務めるクレッシェンドホテルで働いていた。家を捨てて出てきた理人と違い、御曹司として望まれた責務を果たしているのだ。

胸に罪悪感を抱きつつ、輝いて見えた哉也の存在が恋しくなってくる。

いつから日本にいたのだろう。もっと早く知っていたら、今より前に会えたかもしれないのに。

後悔と、焦りと、人肌恋しさと、色々な感情がわきあがって、少しも醒めていかない。

気分をさっぱりとさせたくて熱いシャワーを浴び、ベッドに身を預けて眠ってしまおうとしたが、それでも気分はなかなか落ち着かなくて、哉也への渇望するほどの欲求がむくむくと頭をもたげてきてしまう。

哉也はいい匂いがした。高校時代とはまた違った、甘美な大人の匂いだ。

スーツに身を包んだ広い背、袖口からのぞいた太い血管、大きな手、武骨な指先……そして、鼓膜をくすぐるあたりのいい柔らかな声。

瞼を閉じれば、今日のことが次から次へと浮かんで、熱い想いがこみ上げてきて、どくどくと血流が速まっていく。

こんなことはよくない……と思いながらも、昂ぶった身体の中心へ、知らず知らずのうちに手が伸びていく。既にそこは下着を押し上げるほど硬く張りつめ、想いの丈を今にも吐き出したいと言いたげに先を濡らしてしまっていた。

(長谷川……ごめん……俺、……)

こんなふうにひとり暮らしのアパートで、哉也を想って自慰行為をしていると知ったら、彼はどんな顔をするだろう。

「……んっ……んっ」

頭の中がふやける。腰の奥が甘く疼いてたまらない。

あれほどひどい別れ方をしたくせに、自分から突き放したというのに、いつまでも後悔していて、未練たらたらで……一方的に想っていて、こんなふうに欲情しているなんて、知られたら……。

どうして哉也は普通の顔で、理人に声をかけてこられたのだろう。もうそれほど遠い過去だと言いたいのか。大したことだと思っていないのか。

それを寂しいと思うなんて身勝手にもほどがあるだろう。理人は自分を責めながらも、哉也への想いが募っていくのを止められなかった。

「……っくっ……はぁっ……ぁっ」

好きだ……好きだ……会いたかったんだ、触れたかったんだ。

無我夢中で、何度もイった。

頭の中では、高校生だった頃の哉也、別れてしまったあとの想像上の彼、そして再会した大人の彼が、ちらちらと映っていた。

いつになったら終わるのだろう、この恋は。

季節がいくつもめぐっているのに……。

花が散っても、雪が溶けても、消えゆかないこの恋は。

次第に芽吹いて、また募っていくこの恋は。

あの日、たしかに終わってしまったはずだったのに、なぜいつまでも忘れられないのだろう。

忘れるときが来るのだとしたら、それはいつなのだろう。

哉也が再会を喜んでくれたのを、真に受けてしまっていいものなのだろうか。

それを彼も望んでいるのだろうか。

ぐちゃぐちゃな思考が蕩《とろ》けて、理人の内から迸っていく。

今までの慕情のすべてを解き放つように、何度も、何度も、のぼりつめた。

果てがないのではないかと思うほど、理人は哉也に欲情してしまっていた。

放心した状態から抜け出したあと、過去のことを今まで以上に後悔した。

二人の関係が変わってしまった、『あのとき』のことを――。


あれは――もうすぐ冬休み間近というときだった。

まわりは皆クリスマスの話題でいっぱいで、誰と過ごすのかとかプレゼントはどうするのかとか、なんとなく浮足立っている頃、理人と哉也は相変わらず放課後になると美術室で一緒に過ごしていた。

やり残したデッサンの相手になってもらっていたところ、目の前にいた哉也が不意に顔をのぞきこんできた。

「なあ、一ノ瀬は好きなやつ、いるのか？」

理人は思いきり狼狽《ろうばい》し、真っ赤な顔をして固まった。

「……な、なんでそんなこと、聞くの」

今まで二人の間に恋愛がどうのという話題はなかった。哉也が改まってそんなことを聞いてくるのは珍しい。だから理人はまさか本心が見抜かれたのではないかと、焦ったのだ。

実を言うと、ネイルの事件以来、哉也から言われた『好きだ』という言葉が、寝ても覚めても胸を熱くしたままだった。無論、哉也にとっては友人としての言葉だったに過ぎないのはわかっている。だから、この友情を培っていくためにも絶対に哉也には本心を悟られまいと努めていたのだが、もしや彼への想いが溢《あふ》れるばかりに、顔に出ていたのかもしれないと、心配になってしまった。

美術室の長テーブルに二人で隣同士に腰かけ、いつでも手が触れる距離にいる。そんな状況でまっすぐに聞かれてしまっては、どこにも逃げ場がない。

「なんでってクリスマスがどうのって皆が賑わってるからさ、おまえはどうするのかなって」

なんだか哉也の雰囲気もいつもと違った。

速まっていく鼓動で、耳のあたりまでうるさくなる。

窓辺から射し込んできた夕陽が、哉也の凜《りん》とした瞳を熱っぽく揺らす。理人は言葉を失《な》くして、彼のその瞳に魅入った。聞かれたくない質問から一刻も早く逃げたかったのに、少しも視線を逸らせなかった。

たぶん、それは二人の変化の予兆だったのだと思う。

「べつに俺は、特別そういう人、いないよ。わかってると思うけど、人と触れあうのが苦手なんだ」

「でも、俺とは普通にしてるだろ。前もクラスの女子のネイルが剝がれたときに親切にしてやってたし……なんていうか、うまく言えないんだけど、おまえがわざと距離を置いてる感じがしてさ。どうしてかなって」

今までだって哉也も疑問に思っていたはずだ。けれど理人のことを気遣って触れないでいてくれたのだと思う。親しくなればなるほど疑問が深まるのは当然の話だ。そろそろ核心をつきたいと思ったのかもしれない。

「……何が言いたいかわからないんだけど。とにかく俺はいないから」

理人はいたたまれなくなり、たまらず椅子から立ち上がろうとした。

……が、落ちていた液体につるりと足を滑らせ、がたついていた椅子に再び体重が押し戻される。

その拍子に理人は真後ろにひっくり返りそうになった。

「わぁっ」

落ちる……と思ったが、すんでで免れた。哉也の手がぐいっと理人の腕を引っ張ってくれ、そのまま理人の身体は哉也の胸の中にうずまるような格好になったのだ。

鼓動が頬に伝い、ワイシャツから爽やかな甘い香りがする。

「ご、ごめん……」

理人はおそるおそる哉也を見上げた。彼は呆れたような顔をして言った。

「……ったく、何やってんだよ。これだから目が離せない」

耳元に熱い吐息がかかり、理人の頬がますます発火する。

「わ、悪かったよ」

すぐにもよけたかったのに、がっしりと抱きしめられていて身動きがとれないばかりか、情けないことに腰が抜けたらしい。

哉也の胸の鼓動が伝わってくる。筋肉質な胸板も、逞《たくま》しい腕の形も制服のシャツ越しにはっきりとわかる。それは普段理人が想像している以上に生々しく、理人の煩悩に火をつける。

余計なことを考えるな、と必死に言い聞かせた。哉也の知らないところで、彼を思いながら自慰行為に耽《ふけ》っていることが、ひどく申し訳なく思えてきてしまう。

理人の願いもむなしく、みるみるうちに半身に熱が帯びてきて、やばいととっさに身体を引き離そうとした。

「もう、大丈夫だから」

とりつくろおうとしたが、既に遅かったらしい。反応している部分が触れていたから伝わっていたのだろう。

「一ノ瀬、おまえ……」

明らかに何かに気づいたらしい哉也の声にぎくっとした。

早く離れなければと必死になっている理人に対し、哉也はそのまま背中に腕をまわし、ぎゅっと抱きしめてきた。

「なあ、勘違いじゃなければ、だけど……おまえって、俺のこと……好きだよな？」

あまりにもさらりと言うから、冗談か本気か区別がつかなかった。

けれど、哉也の眼差しは冗談で済まそうという雰囲気が少しもない。

「な、何言ってんだよ。冗談言うなよ……そんなことあったら、気持ち悪いだろ」

哉也の手が、逃げようとする理人の腕を摑んだ。その手は熱く、振り払えないほどつよく握られる。

「じゃあなんで動揺してんだよ。逃げるなよ。俺は冗談じゃなく、真剣に聞いてるんだよ」

「だ、から、どうしたっていうの。急におかしいよ」

そうだ。男女の間でさえ難しい問題なのに、まして男同士でさらっと言えるわけがない。

「急になんかじゃない。ずっと考えてた。ひとりの男として見てるんじゃないかって」

「え……？」

笑えない状況になってきて、全身から汗が噴き出しそうになる。

ようやく腕が離れたかと思ったら、思い詰めたような哉也の表情が迫ってきて、鼓動が大きく跳ねる。

獰猛《どうもう》な視線を感じて、理人の表情が強張《こわば》る。

一瞬、既視感《デジャブ》を感じた。教育係だった男との過去と重なり、背筋がひやりと凍りつく。

違う、違う……哉也は違う。

「まっ……」

哉也の顔が近づいてくる。彼は唇を重ねようとしている。熱い吐息がかかり、理人はパニックに陥った。逃れる隙もなかった。柔らかい唇の感触が伝い、ショックを受ける。

それも一度では済まなかった。哉也は理人の唇を啄《ついば》むように奪い、やがては、まるで獣が喰《く》らいついてくるかのように激しく求めてくる。

そして、身体を引いた拍子に椅子から転げ落ちた理人の上に、哉也はそのまま覆いかぶさった。

「ん、んっ」

想像していた以上に、哉也の唇は柔らかくて弾力があって、あたたかかった。くちづけられるたび、どんどん欲してしまいそうなくらい甘美な感触だった。頭がくらくらして、流されてしまいそうになる。

「一ノ瀬……」

スイッチが入ったかのように哉也の武骨な手が、理人の昂ぶりを無遠慮に確かめようとする。

「……だ、めっ……だっ」

恥ずかしくて死にそうだった。キスだけで勃《た》ってしまっている自分を知られたことが。これまでずっと……知られないようにしていたのに。

「長谷……川……やめ……」

高校生なんていうものは、激情の沸点が低いものだ。

十代の健康男子が盛ったらそうそう止められるものじゃないと思う。

火がついたように嵐のようなキスが降り、形を確かめたいと言わんばかりに、手が這わされていく。

「教えてくれよ。なんで、こうなってるのか。一ノ瀬……俺はずっと思ってたんだ。おまえは……」

「や、……だっ……ちがう！」

壊れるのが怖い。

だから想いを隠しつづけてきたのに。

愛しい人の手が触れている。そう認識しただけで、甘い熱が一気に駆け上がった。

「や、めっ……」

秘めた欲望はみるみるうちに膨れあがり、哉也の手の中であっけなく果てた。

頭の中がふやけて真っ白だった。何が起こったのか最初わからなかった。好きでたまらなかった哉也の手には、理人の放った精がどろりと滴っていた。

それを見た瞬間、愕然とした。

「……最低だ」

理人の口をついて出た言葉は、それだった。

「ごめん、俺……」

狼狽《うろた》えた哉也の瞳には懺悔の色が灯《とも》っていた。

理人は恥ずかしくてたまらなかった。ずっと秘めていた想いが暴かれてしまったことも、哉也の手を穢してしまったことも。

だから、最低だ、という言葉は……自分に対しての戒めの言葉だったはずだった。けれど、「ごめん……」という哉也の言葉を聞いて、理人は胸が押し潰されてしまいそうになった。

『好奇心』ただそれだけだと言い訳をして去った教育係のことが脳裏をよぎった。

──同じ、なのか。結局は。

「マジで……最低だよ！　おまえだけには、おまえにだけは……ぜったいに知られたくなかったんだ」

知られたくなかった。

好きだから、好きだからこそ。

大切だから、壊したくなかったんだ。

それなのに……。

「一ノ瀬、悪かった……俺は」

哉也の言いかけた言葉をさえぎって叫んだ。

「言い訳なんて聞きたくない……。長谷川だけは、他のやつとは違うと思ってたのに。友達ができて……嬉しかったのに」

情けないことに涙が溢れた。

ショックを受けたのは理人のはずなのに、それ以上に哉也はショックを受けた顔をしていた。

理人は身を翻して立ち去ろうとした。

「おい、一ノ瀬、待てって」

哉也の大きな手が伸びてくる。とっさに摑まれた手を、理人は思いきり振り払ってしまった。

「離せ。俺に触るな！」

二人の友情を引き裂いた、音がした──。

「……っ」

静寂の中へと逃げ出す足音が響く。

一刻も早く、その場から逃れようと手が空《くう》を切る。

足がもつれそうになりながら、息を切らして駆けていく。早く、早く、彼のいないところへ消えてしまいたくて。

「はぁ……っ……ぁっ……っつ」

涙が滴り落ちていく。

ずっと哉也の手に触れたいと願ってきた。触れてほしいと望んでいた。

だけど、あんなふうにみっともない部分をすべて暴かれるなんて、死にそうに恥ずかしかった。

どうしていいかわからなくなって取り乱したうえに、自分から突き放してしまった。ひどい言葉をぶつけてしまった。

後悔しても、もう遅かった。

その日を境に二人の関係はぎくしゃくするようになった。

美術室で過ごしていたひとときもぱったりとなくなり、会話を交わすことはおろか、教室でも校舎のどこかで会っても目を合わせることもなくなった。

……というよりも、理人が一方的に哉也を避けるようになった。

怖かったのだ。謝罪のつづきを告げられる瞬間が。

哉也は最初から興味本位だったのだろうか。本当に好きだったら気持ちを伝える前にあんなことをしないはずだ。からかう目的でやさしく近づいてきただけかもしれない。

もしかしたらあのグループで賭けでもしていたんじゃないか。だんだんとそんなふうにまで考えるようになり、すっかり疑心暗鬼になっていた。

そうして大切だった想いは次第に歪《ゆが》んで、裏切られた悲しみの方が上回った。理人は再び殻に閉じこもってしまった。

しばらくして、落ち着くのを見計らったのか、哉也は話を聞いてほしいと詰め寄ってきた。けれど、理人は頑《かたく》なに拒絶した。言い訳なんてしてほしくなかった。そうしたらもっと惨めになるに決まっている。

教室ではなんら変わりのない日常が流れていた。哉也は取り巻きのグループと一緒に楽しそうに話をしているし、理人は必要時以外にクラスメイトと話をしないで独りを好んだ。

考えてみたら、これまでずっとそうだったのだ。

哉也と美術室で一緒に過ごすことになったことの方が異常事態だったのだと思うことにした。すれ違うたび、目が合いそうになるたび、哉也は何かを言いかけた。けれど、ただ拳をぎゅっと握るだけで、話しかけてこようとはしなかった。

そのまま三年にあがってクラスがばらばらになり、二人の接点はなくなった。

ほんとうに、二人で過ごした時間が、夢だったかのように――。

けれど、心の中ではずっと哉也のことが残ったままだった。

自分から離れるように仕向けたくせに、哉也のことを目で追ってしまう。廊下や食堂や体育館……どこかですれ違えば、哉也が誰かと話をしているのが聞こえてくるたび、胸が抉られるように傷ついた。

友情を壊していなければ、今でも彼の隣にいられたかもしれないのに。

悔しくて、悲しくて、寂しくて……哉也と出逢《であ》う前よりも、今の方がずっと孤独のように感じた。

理人は星稜大学への進学を希望していたが、哉也は外部受験をすることにしたと仲間と話をしているのを耳にした。

卒業したらもう完全に彼とは縁が切れてしまうだろう。

本当にこれでいいのか。

逃げたままでいいのか。

もう一度ぐらい正直になるべきじゃないか。

迷い、焦り、けれど何もできないまま卒業式まであと数日というところまできてしまっていた。

そんなある日、哉也から一本の電話が入った。

『実は、卒業したら、父親と一緒にアメリカに行くことになったんだ』

理人は今まで以上に激しい焦燥感に駆られた。

哉也がアメリカに行ってしまう……？

手の届かないところへ行ってしまう。

不安と、寂しさと、苛立《いらだ》ちと、ないまぜになった感情が理人を追いつめる。

『その前に会って伝えたいことがあるんだ。卒業式の前日、少しだけ時間がほしい。俺と、会ってくれないか？　体育館の裏手にある桜の木の下で待ってる』

会いたいと、衝動的に思った。

けれど、数秒後にはふっと我に返って足踏みしてしまう。

アメリカに行ってしまうのに、卒業式の前日になって、何の話がしたいっていうんだ。何を話せばいいんだ。

互いに綺麗な思い出にしたいのか？

もう会えなくなるからすっきりしたいのか？

会ったら未練をあらわにしてしまいそうなのが怖い。だいたいどんな顔をしていいかわからない。

それにもう二度と会えなくなるのに、会ってしまったらますます互いに辛《つら》くなるだけだろう。

引き留めたいのか？

引き留められる力なんてあるわけがない。自分たちは未成年なのだから。何より哉也の意思でアメリカに行くのだから。

笑ってさよならなんて言えるわけがない。

すんなりと笑って終わらせる自信なんてない。

会いたい、会いたくない……会いたくても……会えなくなる。

けれど、会っていいのかわからない。眠れなくなるぐらい毎日悩んだ。

——結局、卒業式の前日に会いには行かなかった。

二人の終わりを受け止めるのも、自分から終わりを見届けるのも怖かったのだ。臆病で情けない自分をこれ以上さらしたくなかった。

卒業式当日、哉也の姿はなかった。式が終わるまで哉也の姿をどこにも見つけられなかった。式が終わったあとで、ケータイに留守電が残されていたことに気づいた。

不慣れなのか、最初は無言のまま時間が流れ、それから意を決したように言葉が吹き込まれていた。

『どうしても会って顔を見て言いたかったんだけど、会ってもらえなかったな……当然だよな。でも、聞いてほしい。おまえのことが好きだった。今さら何言っても信じてもらえないかもしれないけど……興味本位なんかじゃない。本気で好きだったんだ』

理人の手がだんだんと震えだす。

留守電から聞こえてくる声も頼りなさげに震えていた。

『こんな気持ちになったのは初めてで、おかしくなるぐらい……本気で悩んだ。いつになったら告白しようか悩んでた。俺、勝手に期待して……それで理性で止められなくて、どうしても触れたくなって……でも……おまえにとってはひどいことだったと思う。今まで……傷つけてごめん』

胸に孔《あな》が開くかと思った。

掠《かす》れたような声、一度も聞いたことのない悲しい声だった。

『じゃあ……元気でな』

留守電はそこで切れた。

二人の縁もこれが最後なのだと突きつけるような、無機質な音だけが残された。

（……なんで……なんで今さら……言うんだよ）

そのときになって改めて、理人は哉也と過ごした日々をひとつひとつ振り返った。

哉也が理人を無下にしたことが一度でもあっただろうか。

好きになったのは理人も同じだったのに、どうして哉也にはそれを許してやれなかったのだろう。

何を意固地になっていたのだろう。

どうして哉也のことを信じてやらなかったのだろう。

たちまち瞳から涙が溢れだす。

理人は弾かれたようにケータイを握りしめ、空港まで急いだ。ほとんど衝動的だった。

そのときになって初めてわかった。

傷ついたのは自分じゃなくて哉也だったかもしれない。

失いたくないからずっと気持ちを隠していたくせに、自分から失うようなことをした。

どうして素直に好きだと言ってしまわなかったのだろう。

どうして自分から手を振り払ってしまったのだろう。

『俺も、おまえのことが好きだ』

どうして言えなかったのだろう。

息が切れるほど走った。

哉也のことだけを考えていた。

早く、早く、早く……足がもつれそうになり、胸がちぎれそうになりながら、空港へと急いだ。

けれど、空港には哉也の姿はなく、見上げた空には既に飛行機の白い軌跡だけ。

当然だ。何も情報がない。何時の便に乗ったのか、アメリカのどこに行ったのかさえもわからない。

本当に二人は終わったのだ。

胸の中には空虚な想いだけが残されたまま、理人はしばらくその場から動けなかった。

好きで……好きで……好きだったから、大切にしたかったのに。

壊して、傷つけて、手放して……本当に馬鹿《ばか》だ。

どうしても連絡をとりたくて何度か電話をかけたが、一切つながらなかった。携帯は解約したのだろう。やがて使用不可のアナウンスが流れるだけになった。

理人はそれから星稜大学の経済学部に進学したものの、大学三年の春には中退し、親の反対を押し切って家を出た。

きっかけは父親からされた縁談の話だった。

今のうちに婚約をして、父親の会社に入社しろと言われたとき、理人の中で何かが弾けた。

何もかもカミングアウトした。自分がゲイであること、会社を継ぐつもりもなければ、婚約者を迎えて結婚するつもりもなく、自分の道を進みたいということを。

厳格な父がそれを許すはずもなく、激しく罵倒され、本気で殴られた。二度と家の敷居を跨《また》ぐなと勘当された。

母親が心配してこれからのことを尋ねてきたが、理人の決意は固かった。すると、母親から理人名義の貯金を渡された。

なんとなく母親の勘が働いていたようだ。父親には内緒にしておいてほしいということだから、きっと母親が個人で息子のために貯《た》めていてくれたものなのだろう。アパートの賃貸契約の保証人も引き受けてくれた。

理人は母親に感謝を告げ、自分で働くようになったら必ず返すと約束をし、アパートでひとり暮らしをはじめた。貯金を食い潰しているわけにいかないのですぐにアルバイトをした。目をつけたのはネイルサロンだった。理人は誘われるまま働きはじめ、やがて資格をとり、経営についても学んだ。

その後、独立して新しい店をオープンさせ——今に至る。

「——本当に、ね。まさかネイルアーティストになるなんて考えていなかったよ」

ハンドマッサージをしながら、哉也を想っていたことは伏せて、今までどうしていたのかをかいつまんで話した。

「いつだったか、女子のネイルやってあげたことがあったよな」

「……そう、今思えばだけど、あれがきっかけだったのかもしれないね」

二人は核心に触れる話はしなかった。

ただ断片的な思い出を少しずつ手繰り寄せて、懐かしさに浸るだけ。遠慮がちに話をする哉也の声のトーンがやさしく、時間さえ許すならずっとその声を聞いていたいと願った。

「懐かしいな」

「うん」

哉也はアメリカに発ってからどうしていたのだろう。一年前に店がオープンしたとき理人のことを見かけたと言っていたけれど、具体的にはいつ戻ってきていたのだろう。

哉也のようにさりげなく話題を振れたらいいのだが、やはりアメリカにいる間のことは詳しく触れられなかった。

理人はというと、大学を卒業しても、仕事をはじめても、あれ以来、哉也以外の人を好きになったことはない。

時々、哉也の面影ばかりを探しているのが辛くなり、人恋しくなるときもあったけれど、誰とも付き合わなかった。あの別れがあって以来、新しく恋愛をすることが怖かったのだ。

傷つき、傷つけ、不器用にしか振る舞えない。誰かといてもどこにいても思い浮かべるのは、哉也のことばかり。こんな自分が恋愛をする資格などないのだと思ったから。

――あのときのまま……だ。

理人の心はあのときから変わらない。

それればかりか、ときが経つにつれ薄れていくはずの想いが、日々を重ねるに従って濃くなっていく。

いつかは忘れられるはずだ、と信じていた。

けれど、十年をやっと越したという今、見事に裏切られた。

哉也に再会して、自分がどれほど彼に恋焦がれているのか、思い知らされてしまった。

こんなに胸が苦しいのは、無理に忘れようとするからなのか、それとも、忘れられないからなのか
……。


これだけはわかる。

過去も、今も、これから先もきっと、哉也のことは忘れられない。否、忘れることはないのだろう。

瞼の裏に輝く、きらきらした思い出の欠片《かけら》。

かき集めようとしたってもう元には戻らない。それでも……。

十年という時を経た今、哉也は本当にもう気にしていないのだろうか。

あれは過去のことだったのだと流してくれるだろうか。

もう一度、友人という立場で見てくれるのだろうか。

新しく、二人ははじめられるのだろうか。

どんどん想いは溢れて欲張りになっていく。

哉也に触れた手は、彼が去ってからもずっと熱を帯びて震えたままだった。


「オーナー、先ほど長谷川さんからご予約のお電話が入ったんですが、これから……ということなので、飛び込み扱いで受付しましたが、大丈夫ですか？」

九月最後の週末——。

未知から予約受付票を提出され、理人は弾かれたように顔をあげた。

閉店まであと一時間半ぐらい。明日ファックスで送る発注書のチェックを事務所でしていたところだった。

「長谷川が、これから？」

正直いうと、いつ社交辞令の付き合いが終わるか、身構えているところがあった。一度目はふらっと立ち寄ったついでに声をかけてくれたのだとして、二度目は社交辞令だろうから、きっと三度目はない——と思っていたのだ。

「私が担当しましょうか？　オーナー疲れた顔してますよ？　一周年のキャンペーンが落ち着いたところですし、ひと息入れないと倒れちゃいますよ」

たしかに夏は集客のためにキャンペーンをやっていたし、ここのところ多忙がつづいていたからか、疲労が積っている。

「大丈夫だよ」

と、しかしすぐに理人は答えた。

なにしろここは大通りから外れた雑居ビル一階のテナントにひっそりと開店させた小さな店だ。従業員の給料のこともあるし、なんとか赤字にはならないようにしているが、せいぜい店を維持できる程度だ。

それゆえ、大手サロンならさくっと広告代理店などに依頼するのだろうけれど、余分に経費を使わないようＤＭもＰＯＰも広告もすべて手書きをしているし、他の有名店に真似《まね》できないようなオリジナリティーに溢れたデザイン案を毎日のように考えてもいる。

デザインを考えることは趣味のひとつともいえるので苦ではなかったが、さすがに睡眠不足がたたっているのか、さっき鏡に自分の顔が映ったときに目の下にクマがあった。

「睡眠不足は美容の大敵ですからね」

未知にお説教され、理人は苦笑する。

「また言ってる」

「本当のことですもん。守護神のオーナーにはいつも輝いていてほしいんです」

彼女いわく店の華であるオーナーにはいつも格好よくいてほしいのだとか。しかし理人から言わせれば、彼女たちのほうが主役だ。

男ひとりの店だったら、客ひとり呼びこむのだって難しかったに違いない。理人が独立する前に在籍していた大手サロンから未知と香織がついてきてくれてよかったと思っている。

大丈夫、というのは何も口先だけではない。

哉也に会えるのだ……と思ったら、眠気もだるさも一気に払われたのだ。

我ながらなんて単純で青くさい人間なのだろうと自嘲しつつ、さっそく時計を確認した。

クレッシェンドホテルの本社は青山《あおやま》にある。表参道と渋谷《しぶや》の間なここまでならわずか一駅ほどの距離だ。会社を出て電車に乗ったとして、ここへ来るのに多く見積もっても三十分かからないだろう。

そう考えたら急にそわそわしはじめた。

飼い主が帰ってくるかのような顔をしてしまっていないか、我に返り、店主としての意見を伝える。

「とにかく、うちみたいな小さな店は、できるだけ飛び込み客の要望に応えてあげないとね」

基本的に予約制をとっているけれど、飛び込みでやってくる客も少なくない。店をはじめたばかりの頃は、本当に客が来てくれるのか不安だったし、たったひとり来るだけで嬉しかったものだ。そういう初心を忘れたくないと理人は思う。

「わかりました。おかげで、今日最後のお客さんがイケメンさんで、目の保養になります。それに、サロンに照れもしないで付き合ってくれる彼氏って紳士！　ポイント高いですよねー」

　未知の軽やかな声が店に響く。理人は同調しないでもないが、微笑んでごまかした。哉也と理人が旧友であるということは知られているが、理人が内心浮かれていることを彼女に知られるわけにはいかない。

　そう考えると、未知より理人の方がずっと乙女な思考を持っているのかもしれない。言葉にして盛り上がれないくせに胸の鼓動は速まりっぱなしで、いつ哉也が来るのかと待ちわびてしまっているのだから。

　といっても、哉也がひとりで来るわけではない。この間、ひとりで来ていいかと彼に聞かれたが、予約の状況を見ると二人で来店する予定のようだ。予約票を眺めながらふっと現実に引き戻される。

　それでもいい。この間一緒に来た女性が恋人なのだとしても……今は会えるだけで十分だ。

　とにかく理人は哉也の顔が見たかった。彼の声が聴きたかった。ほんの少しでいいから一緒にいられる時間を共有したかった。

　彼がそれを許してくれるのなら、少しずつあの頃みたいに――。

「あ、来ましたよ」

　その声にドキッとする。

　十五分ぐらいだろうか。予想していた時間よりもずっと早かった。

　事務所の半開きのドアからカウンター越しにのぞいたところ、哉也がにこやかに入ってくるのが見えた。

未知がいらっしゃいませ……と出迎えると、哉也が申し訳なさそうな顔をした。

「こんばんは。さっきは突然電話を入れてしまってすみません」

「いいえ。ご来店いただけるのを楽しみにお待ちしておりました」

にこやかに未知が接客すると、哉也もホッとしたように表情をほころばせた。仕事の帰りだというのに爽やかな笑顔だ。それでも、目尻にほんの少し皺が寄ったり、社会人として身を弁《わきま》えた物腰には、学生のときとは違う大人の色気がある。

理人はつい哉也の動作をひとつずつ目で追い、彼がネクタイを緩める大きな手にたまらず目を奪われた。

付き合っている彼女は……哉也のこの手に触れられ、ネクタイを緩めたシャツの下にある肌に触れ、知らない面を見ているのだろう、と勝手な想像をして嫉妬してしまう。

その彼女の姿が見えないことに、あれ？　と思った。

「今日はおひとりですか？」

今まさに疑問に感じたことを、未知が代わりに聞いてくれる。

すると哉也はきまり悪そうに尋ねてきた。

「実は彼女、残業になっちゃって、俺ひとりなんですけど、この間のリラクゼーションメニューお願いしても構いませんか？」

「もちろんです。さあ、奥の方へどうぞ」

　未知の声のトーンがいつもより高い。

　かえって連れがいないことを喜んでいるのがまるわかりだ。その気持ちはわからないでもない。というか誰よりわかるつもりだ。内心、心臓がバクバクいっているのを押し隠しながら、オーナーとして体裁を保っているのがやっとなのだから。

「オーナー、お願いします」

　未知から声をかけられ、理人は客の要望を書きとるために使う美容カルテを携え、パーテーションの奥で待っている哉也のもとへ向かった。

「……ごめん、うちの子が浮かれてて」

　理人は未知に聞かれないように声を潜めて謝った。

「煙たがられるよりずっといいさ」

　哉也はそう言って、笑った。

「えっと、それじゃあ……今日はハンドマッサージのほかに、爪の手入れを勧めたいなと思ってるんだけど、どうかな？　結構すっきりするよ」

「オーナーのお勧めならそれで」

　哉也の爪の形は綺麗なラウンド型だ。清潔に整えられているし、血色がよくて艶もあり、とりたてて手入れが必要という様子は見受けられない。

それなのに勧めた理由はというと、哉也には申し訳ないが、理人の私情が入っている。ずっとハンドマッサージをしていると、またよからぬ妄想を抱いてしまうし、哉也のことを意識してたまらなくなるからだ。

爪の手入れや、甘皮のケアなど、細かい作業に夢中になっていた方が我を保てる気がした。

そんな理人の思惑など露知らず、哉也は感心しきりといった様子で作業を眺め、リラックスしているようだ。

彼女が一緒だったらこうもゆっくりしていられなかっただろう。

オーナーとしては失格の考えかもしれないが、来られなかったことを密かに心の中で感謝する。

しばらく無言のまま時間が流れ、指先をあたためるパックをすれば終わるというとき、哉也が口を開いた。

「なあ」

「あ、染みるところあった？　もうちょっとで終わるんだけど、気になるところがあったらすぐに言って」

理人は顔をあげて、哉也の様子をうかがう。

「いや。気になるといえばさ、今日このあと、何か予定あるか？」

「……えっと、店を閉めるだけだけど」

「じゃあ、飲みに行かないか」

「え？」

思いがけない誘いに、理人は目を丸くする。

「せっかく再会できたわけだし、おまえと二人でゆっくり話したいと思ったんだ」

黒曜石のような凜とした輝きのある瞳が、理人から視線を逸らさない。

遠慮がちな誘い方だったが、哉也の態度には引かない強さがあった。

高校のときもそういう節があったけれど、大人になった今はますます言葉に重みが加わった気がする。会社ではこんなふうに部下に指示をしたり話しかけたりしているのだろうか。

「えっと……」

理人はすぐには返事ができずに口ごもってしまった。

意識するまいと作業に没頭していた分の反動が、今になってやってくる。

じっと答えを待つ哉也の視線に胸が熱くなり、鼓動がどんどん速まってくる。

哉也が望むこと、それは……店のオーナーと客としての関係ではなく、旧友の二人が会って話をするということ。それぐらいはわかる。

けれど、プライベートで二人きりで会って、哉也を困らせることにならないか、理人には自信がなかった。

これまでなんとか体裁を整えていられたのは、自分の店というテリトリーの中にいたからだ。理性が役立つのも仕事場だという意識があるからだ。それがすべて取り払われてしまったら、裸で戦場に向かうようなもの。

理人が迷っていると、待ちきれなくなったのか、哉也が再び口を開いた。

「忙しいのに無理にとは言わないから断らないでほしい。今度でもいい。いつでもいい。時間が作れるなら、そのときに連絡をくれたらいいから」

矢継早にそう言ったかと思いきや、理人の手をがしっと摑んだ。

あまりに熱っぽい手に、ビクリとする。

「俺、一年前にやっとアメリカから帰ってきたんだ。それで……やっと……会えたから、きっかけを逃がしたくない。おまえは俺にとって大事な親友だから。だから……今度こそ、もう……」

ずっと避けていたアメリカのことに触れられ、理人はますます動揺した。そのうえ、高校時代にも感じた彼のまっすぐな熱い眼差しが、理人の心を揺らがせた。

もしも親友という言葉がなかったなら、彼の誘いを断ったかもしれない。

「……落ち着いて。俺はどこにも逃げないし、こうやって店やってる限り、いつだって会えるよ」

とりあえず理人は自分の動揺を抑えるためにも冗談めかして笑いながら言った。そうでなければ深刻になってしまう。

哉也はそれでハッとしたらしい。気恥ずかしそうな顔をして手を離した。

「悪い。俺、なんで必死になってるんだろうな。いつまでもガキじゃないのに、みっともないな」

離れたあとも手の感触が残っていて、理人の胸を疼かせる。耳まで赤くしている彼の様子を見たら、こっちまで照れが移ってしまいそうだった。

無言でいるのも気まずくなりそうだったので、理人はとりあえず返事をすることにした。

「わかった……このあと店を閉めてからでいいなら。待っててもらえるかな」

理人がそう言うと、哉也は嬉しそうに頰を緩めた。その表情は、高校時代に初めて目が合って会釈をしたときのようだった。

懐かしさと愛おしさで、瞼の奥がじんとする。

ああ、この顔が好きだったな、と目を細めた。

会いたかった。やっと会えた……と言いたかったのは理人だ。

哉也のように素直でまっすぐに伝えることができる性格だったなら、すれ違ったまま十年という時が過ぎないで済んだかもしれない。

わざわざ二人きりで会いたいというぐらいだ。哉也は過去のことに触れるつもりなのだろう。

それが怖いからといって逃げたら、今度こそもう一生会うことのない二人になる。

偶然の出会いはそう何度もあるものではないのだから。核心に触れるのは怖いけれど、理人はそれ以上に、哉也との別離をまた経験するのがいやだった。

店が閉店したあと、二人は適当に近くのバーに入り、カウンター席に並んで座った。

哉也とこうして並びあっているのが不思議だ。

少し前までは、もう一生会うことはないだろう、と思っていたのに。

気まずさはなかったけれど、やはり二人の間にはぎこちない壁がある。

理人はモヒートを、哉也はギムレットを頼んだ。とりあえずお疲れ、と乾杯をする。だが再会を祝して……とはさすがに言えず、無言になる。

ちらり、と理人は隣にいる哉也の方を見た。

長い指でグラスを支える格好が、とても様になっている。今、隣にいるのは制服を着た哉也ではない。スーツを着た大人の彼だ。

どうやったら核心に触れずに、昔のことを懐かしむことができるか、今の状況をどんなふうに説明するか、ああでもないこうでもないと咀嚼《そしゃく》していたところ、先に口を開いたのは哉也だった。

「一ノ瀬。おまえと再会してからずっと言いたいと思ってた。高校を卒業する前のこと……ごめんな」

面と向かって言えるほど、哉也にとっては過去になっているということだろう。

理人にとってみれば過去だと割り切れるほど大人になりきれていないのだが、哉也の方からそういうふうに切り出してくれたことで、いくらか楽な気持ちで現実を受け入れることができた。

「……もう昔のことだよ。こっちこそ、ごめん。なんか幼いことしたよなって思う。だからそう深く考えないでほしい。ほんと子どもだったんだなって反省したしさ」

深刻になってしまわないように、理人はあえて自嘲ぎみに言った。

だいたいそれほど深く哉也が気にしていたとしたら、理人のネイルサロンにわざわざ顔を出し、そう何度も通うわけがない。改めて謝罪してくれたけれど、哉也にとってはそれほど大きなことではなかったに違いない。とりあえず気にかかっていた部分を消化させたいという自己満足かもしれない。

それでもいい、どんな理由であれ、哉也が理人に会いたいと思ってくれることが単純に嬉しかったのだ。

「一ノ瀬……」

哉也が気遣わしげな視線を向けてくる。それを振り切るように理人は言葉を繋げた。

「ほら、俺、長谷川がアメリカ行ってからのこと全然知らないし、せっかくだから色々聞かせてもらえないかな」

アメリカのことはできたら触れないでいた方がよかったはずだ。

けれど、哉也が過去のことととして受け入れてくれるのなら、理人も同じように歩み寄りたいと思った。

「ああ、そうだな。俺も……おまえが大学に進学して、ネイリストになった経緯とか、知りたいよ」

「一晩じゃ足りないぐらいだよ。まあ楽な道じゃなかったし」

理人はおどけたように言った。

「いくらでも付き合うさ。別に今日中に全部話せってわけじゃない」

互いの笑顔は百パーセント本物ではないかもしれないけれど、あの楽しかった頃の記憶がふわりと蘇るぐらいには、ちゃんと笑えていたと思う。

まさか修羅場になるのではと、あれこれ悩んでいたことが杞憂《きゆう》に終わったことで、理人は心からホッとしていた。

なんて簡単なことだったのだろう。これが大人になったということなのかもしれない。

そう、大人の付き合い方を覚えればいい。昔のことは水に流してしまえばいい。

誰かが言っていた。時が解決することもある、と。

まさしく理人と哉也の関係がそうなのかもしれない。

過去は消せない。なかったことにはできない。

けれど、上書きできるものがあるのなら、それで悲しみが薄らぐのなら、後悔が和らぐのなら……

それでいい。

たとえ二度と恋になることができなくても、哉也が許してくれるのなら、今度こそ友達でいつづける努力をしよう。理人は自分の中に新たにわきあがってくる欲望を戒め、そう心に誓った。

それから二人は高校を卒業してからの互いの話をした。といっても、だいたい理人は聞き役になることの方が多かった。元々口数が少ないということもあって、高校時代も哉也があれこれ喋っていることに、理人が頷いたり答えたりすることが多かったように思う。

大人になって多くを見知ってきた哉也は、ますます人の好奇心をくすぐるような話術に長けているように感じた。とにかく理人にとっては哉也の声を聞いているだけで幸せだった。

時間が経つのも忘れて会話に花を咲かせていたところ、不意に、哉也が腕時計に目をとめた。

「もうこんな時間か。明日も仕事だったよな。遅くまで付き合わせて悪い」

時計は深夜一時過ぎを指していた。時間が無限にあるように思えたのは学生の夏休みぐらいだ。明日も明後日《あさって》もその先も……責務に追われる仕事がある。哉也と離れなくてはならないことを寂しく思いながら、理人はグラスに入っていた残りの酒を一気に呷《あお》った。

「おまえと話せて楽しかったよ。ありがとうな」

今夜は呼び出した俺の奢《おご》りだから、と哉也は伝票をもっていった。男同士が遠慮しあっているのも不格好なので、理人は素直に哉也の好意に甘えることにした。

「こっちこそ、ごちそうさま。社交辞令じゃないなら今度また店に来てよ。サービスするから」

ほろ酔い気分が手伝っているとはいえ、面と向かって感謝を伝えても照れないでいられるようになったのも、大人になった証拠といっていいだろうか。

高校時代は哉也の一挙一動にいちいち反応して、どう対応していいかわからなかったことを考えると、自分なりに成長しているのか否か。

ほんの一瞬の沈黙のあと、視線がおもいきりぶつかって、ドキッと鼓動が跳ねた。

やっぱり慣れることはないのだとすぐに思い知らされる。

「もちろん、社交辞令のつもりじゃないし、店にも行きたいと思ってる。けど……できるなら、またこうして二人で会えると嬉しい」

哉也は照れたように言った。

「うん」

……と、理人は頷くだけだった。拒否する理由なんてない。むしろホッとしていた。今日が終わったら、また会えなくなるのではないかと心の中でどこか覚悟をしていたところがあったからだ。

「じゃあ、おまえの連絡先、教えて。もちろん、予約をするときは直接店に連絡入れるけど、プライベートのときは分けた方がいいだろうし」

理人は素直にケータイの番号とアドレスを教えた。二人はその場で電話帳の登録をした。

もう二度と会えないと思っていた相手の連絡先がアドレスに入っているなんて夢みたいだ。

アパートに帰ってからケータイのアドレスをスクロールして、今日の出来事を噛みしめる。

ひどく気分が高揚していて、しばらくは眠れそうになかった。

何も用がなくても声が聴きたくなってしまったらどうしよう。

奢ってもらったのだから、メールで御礼の一言ぐらい送ってもいいだろう。そう思ったものの、なかなかうまい文面が思い浮かばない。

【今夜はありがとう】

迷った挙句、送ったのはシンプルな一文だけ。

【どういたしまして】

帰ってきたのもシンプルな一言だけ。常に理人の三倍は喋っているだろう哉也がメールでは寡黙なところにギャップを感じつつ、勝手に顔がにやけてくる。

本当に身勝手な願い事だと思う。

傷つき、傷つけ、後悔してきたくせに、それをなかったことのように綺麗にスルーして、一から友達として付き合いたいなんて。

それでも許されるなら……そうしたい。

哉也が望んでくれているのなら、応えたい。

そうしているうちに、いつかこの胸の奥にざらついているしこりも、融解していくことがあるだろうか。新たな二人になれるだろうか。

どうか少しずつ互いの今に近づいていけますように……淡い希望の光を胸に灯し、理人はケータイを握りしめたまま瞼を閉じるのだった。


爽やかな秋晴れが広がる十月初めの金曜日、開店準備をしていたところ、哉也からメールが入った。

【土曜日の夜、空いてたら時間をくれないか。付き合ってほしいところがあるんだ】

【了解】

メールのやりとりはいつも他愛もない短いものばかりだ。

けれど日付と時間と場所……それらが書かれたメールが受信箱をずらっと占めているのを見ると、新たに二人の思い出が日記のように綴《つづ》られているみたいで、理人は嬉しかった。

三回目の来店以降、哉也は店には来ていない。仕事が繁忙期に入ったらしく、残業つづきなのだそうだ。

そんな中、しかし哉也は時間さえあれば誘ってくれた。理人の方も新作デザインなどの考案などで忙しかったが、哉也に会いたかったから断らなかった。

深夜のちょっとした時間に重ねられる逢瀬《おうせ》。それは理人にとっては恋人とのデートのようなものだった。

ただ場所を変えて歩き、食事や酒を楽しんで、互いの近況を話しあうだけだったけれど、店とアパートとの往復生活で、仕事以外に人との接触を断っていた理人にとっては新鮮だったし、何より哉也と一緒にいられる時間が少しでもあれば十分に心は満たされていた。

約束をしていた土曜日。

もうすぐ店も終わる頃、理人はひとり浮足立っていた。

「なんだか最近オーナーご機嫌ですね」

予約客を見送ったあと、香織が声をかけてきた。

今日は未知が親戚の結婚式で休んでいるので、店には二人だけ。

ようやく客の波が途切れたところで休憩をしようか、というときだった。

　予約客のリストが順調に埋まっている中、ひとり欠けた店はいつもよりずっと忙しくて昼の休憩もまともにとれない状態だったのに、いつにも増して理人が張り切っているのに気づいたらしい。

「そう見えるのかな？」

「いつもはあまり接客のときにお喋りを挟まないのに、このところオーナーの声がいっぱい聞こえるので。なにかいいことでもあったんですか？」

「うーん、いいことといえばそうかな。最近とくに常連のお客が増えて嬉しいんだ。一回限りじゃなく何回も来たいって思ってもらえることがね。高橋さん、それから木島さん、君たちスタッフのおかげだよ、ありがとう」

　理人は哉也のことを脳内に思い浮かべつつ、まさか好きな男とうまくいっているからなどと言えるわけがなく、微笑を含ませてあいまいに濁した。

「もう、はぐらかさないでくださいよ。恋をすると、男性でも女性でも輝くものですよね？　もしかして常連さんの中にお目当ての彼女がいるのかもって、木島さんと噂してたんです」

　未知と香織がそんな話をしていたとは知らなかった。

　後ろめたさを感じながら、理人は笑って受け流す。

「お客さんのことは恋愛対象として見ていないよ。こんな小さなサロンのしがない店主にそんな余裕はありませんから」

「じゃあ、今、恋人はいますか？　なんか忘れられなかった人がいるとか、結構前に聞いた気がするんですけど」

興味津々といった瞳を向けられると、たちまち罪悪感がこみ上げてくる。このサロンをオープンしたときからいる未知と香織は、どちらも理人が勤めていたサロンから一緒に連れてきた人材だが、なんとなく香織が理人に特別な感情を抱いているのは勘付いていた。

きっと独立すると聞いてついてきたのも、多少なりとも私情があったのだろう。そんな香織を前にあれこれ言うのはなんとなく気が引けた。

「うーん、そんなこと言ったっけ」

オープンしたての頃だったか、親睦会という名の飲み会の席で、そんなことを言った気もする。香織には悪いが、理人はゲイだから、女性を受け入れることはできない。それならば告白などされて気まずい想いをする前に、はっきりと意思表示をしておいた方がいいかもしれない。

たとえ……それが嘘でも。

はぐらかして終わろうとした理人だったが、考えを改めた。

「いるよ。参ったな。うまくいってるってこと……顔に出さないタイプのはずなんだけど」

一瞬だけ、香織の表情が強張ったのを、あえて見なかったふりをする。

「そう、なんですね。恋人ってどんな人ですか?」

「……そうだなぁ。背がすらっとしてて、手が綺麗な人」

それは嘘じゃない。

理人は答えながら、哉也を思い浮かべる。回答に満足したのか、香織は「ごちそうさまです」と可愛らしい声で嫌みを言いながら、事務所のドリップコーヒーを注ごうとした。

すると「すみません」と店の方から声がかかった。

「あ、はーい」

香織がパタパタと出ていく。

どうやら飛び込みの客らしい。昼頃にしては珍しいかもしれない。

さっそく香織が、オーダーカルテに記入を……と説明しはじめた。

（恋人……か）

好きな人に恋人がいたら、その相手がどんな人間か知りたいと思うのは普通だろうか。理人ならば逆に知らないままでいたかったと思う。

映像として目に焼き付いてしまってからでは、嫉妬という見苦しい感情の原因になるだけで、何もいいことなんかない。

だから哉也が誰と付き合っていたとしても、相手の情報をあまり知りたくないと思う。

最初に連れてきた女性が恋人ならば、そんなことといっても手遅れなわけだけれど、どうやら同僚というだけで違うらしい。だからこのまま何も知らないでいたい。

もう二度と昔のような過ちはおかしたくない。

少しずつ友情をとりもどしたいと決めたのだから。

店が終わったあと待ち合わせていた駅に行くと、哉也が停車しているタクシーの傍で手を振った。

「悪いな。先に乗ってくれるか」

「付き合ってほしいところって？」

「うちのホテルでちょっとしたパーティーやってるんだ。とりあえず顔出しとかないとなんなくてさ」

「パーティー？　待って。そういうのは先に言っておいてくれないと。俺、普通の格好なんだけど」

パーティー……と聞いてすぐに気が引けた。

幼い頃から社交の場が大の苦手で、人が大勢いる中に紛れていると具合が悪くなることがあるのだ。

それ以前になぜパーティーに連れて行くつもりになったのか……疑問ばかりが浮かぶ。

「大丈夫だ。平服で構わないから。その格好なら全然問題ない。俺だっていかにも仕事帰りのスーツだろう」

まあたしかに取引先の相手に会いに行くこともあるので、それなりに綺麗めな格好かもしれないけれど、パーティーに行くようなフォーマル服からは程遠い。

言われるがまま連れて行かれたところは、クレッシェンドホテルのボールルームだった。

パーティー会場の受付には綺麗な女性が笑顔で立っている。どうやら異業種交換パーティーらしく、それぞれ平服で楽しんでいる様子だ。

理人は不安な表情を浮かべ、哉也の様子をうかがった。ここに連れられてくる意味がわからなかったからだ。

「ねえ、俺がここにいていいの？」

「おまえにとっても人脈を広げるチャンスだよ。今日は女性が多いから、色々営業にもなると思う」

哉也は目を輝かせるようにしてそう言う。

営業……ああ、そういう意味だったのか、とようやく哉也の意図を汲《く》みとったものの、釈然としない気持ちだけが残った。

理人が今日哉也と約束を交わしたのは、哉也と会いたいから……ただそれだけだった。

営業というなら名刺ぐらい用意するべきところだろうが、あいにく今夜は所持していないし、もしもそれが本来の目的だとしたら最初から断っていただろう。

店が繁盛するに越したことはないが、別にチェーン店を構えたいとか、有名になりたいだとか、そういう野心があるわけではない。ただ細々と好きなことをして生きていきたいだけだ。

哉也は勘違いしているのではないだろうか、と不安を抱いて悶々《もんもん》としつつ、すっかり切り出すタイミングを失ってしまった。

「長谷川さん、なにー？　素敵な子連れてるんじゃない？」

いわゆるオネエっぽい声の男性がひとり、近づいてくる。

どこかで見たことのある顔だ。有名人にいなかったっけ……と理人はいつか見たテレビの内容を思い浮かべる。

哉也が丁重に挨拶し、さっそく理人を紹介した。

「あ、譲原《ゆずはら》さん、お疲れ様です。彼はネイルアーティストの一ノ瀬理人さんです」

「あら、彼がその」

と譲原が頷いたのと同時に、理人も譲原という名前を思い出した。

「一ノ瀬、彼はヘアメイクさん。うちのブライダル部門でお世話になっているんだ」

哉也が紹介してくれたとおり、彼は一流ヘアメイクアップアーティスト、譲原リョウだ。

「……初めまして」

「どうも。堅苦しいことは抜きにして、ネイルやっているの？　じゃ同業者じゃない。同じアーティストとして色々お話ししましょうよ」

「えっと」

理人は狼狽える。

隣にいる哉也はチャンスだといわんばかりの視線を向けてきた。

すぐに譲原から質問攻めにあい、理人は押されつつ答える。

あまつさえ哉也には次から次へと声をかけてくる人がいて、ほとんど譲原と理人の会話ばかりになっていた。

「一ノ瀬、悪い。ちょっと挨拶にまわるから、少しの間ごめん」

耳打ちされて、理人は一気に心細くなった。

譲原とその後もいくらか世間話を交わしたあと、次々に人が集まってきて、理人はなんと自己紹介したらいいのか戸惑いながら、声をかけてきた人に話を合わせるだけで精一杯だった。

一体、哉也はどこへ行ったのか。

その間もちらちらと会場の中を探した。哉也は挨拶まわりで忙しくなってしまったらしく、様々な人たちに囲まれている。理人と違って、彼は華やかなオーラの中に溶けこんでいた。

かれこれ三十分以上経過しただろうか。次第に理人は疎外感を抱きはじめた。

高校時代、バスケ部やクラスメイトとわいわいつるんでいた彼の姿はもうそこにはない。一流ホテルチェーンの御曹司としての肩書だけではなく、彼が実力者としてこの世界にいるのだとまざまざと見せつけられた。

たしかにカジュアルなパーティーに違いないが、れっきとした社交界だ。住んでいる世界が違う、という言葉があるけれど、まさに哉也は理人とは違う世界を生きているのだと思った。

否、本来ならば理人もこういった場に華を添えるような人生を歩むべきだった。そのレールから逃げ出したのはもうずっと昔。

ささやかな幸せの時間……それがあればいいと考えている理人と、哉也とでは置かれている環境が違う。見ている世界も、目指しているところも違うのだ。

哉也はもう前しか向いていない。ちゃんと自分がやるべき責務に向かい、大人になっている。対して自分は何なんだろう、と考えたらいたたまれなくなってしまった。

話下手の理人は、それからも聞き役に徹することにし、昔から恵まれた容姿で華を添えるのがせいぜいだった。時々芸能人に間違われて人に集まってこられたが、話は何分ももたなかった。きっとつまらない男だと思われたのだろう。

理人は話と話の合間に、哉也のことを目で追った。すぐに戻るからと言っていた彼だが、誰かしらに捕まれば対応しないわけにはいかないだろう。

対して、理人の周りには人が寄らなくなり、取り残されてひとりになってからはノイズだけがやたら響いて聞こえた。

ああ、この感じは昔から知っている。

期待の瞳で見つめる女子生徒……彼女の涙、落胆した色、憎しみの混じった視線。

いつだって理想を押しつけてくるのは向こうなのに、勝手に想像と違ったからといって落胆し、あまつさえ憎しみを抱かれ、理人は居場所を失い、孤独を味わってきた。

これでは……十年前と一緒だ。

考えすぎて眩暈《めまい》がしてくる。足元がふらついて気持ち悪い。

「ねえ、長谷川さん、婚約者の方が見えなかったようだけど、今夜はひとりなのかしら」

婚約者?

理人はハッとして声の主の方を見た。

女性が三、四名集まって、哉也の噂をしている。

「ああ、代わりに可愛いお友だちを連れてきたみたい」

「綺麗な子。芸能人？　モデル？」

「あ、待って。来た来た。長谷川さんの……あの子よ」

視線が吸いこまれていく。そこには哉也と綺麗なドレス姿の女性がいた。この間店に一緒に来た女性とはまた違った。

彼女が本命ということなのか……？

紹介するつもりなのか？

いやだ！　瞬間的に拒絶感が起き、血が沸騰したかのように全身が熱くなる。

再会した日からずっと、高校時代のひどい別れ方に哉也が触れなかったのは、時間が解決したからだと前向きに考えていた。

けれど、違った。

哉也にとっての過去はかすり傷程度のものだったのだろう。既に彼は新しい満足のいく人生を手に入れていたのだ。だからこそ臆面もなく理人に近づいてこられたのだろう。

そして今日は、婚約者を紹介したかったのかもしれない。

おまえとのことはいい思い出だったのだと、友情の線を引き直し、正当化したかったのかもしれない。

改めて哉也へ信頼を寄せはじめていた理人は、ひどく裏切られた気持ちだった。

――パーティーに連れてきたのは、このためだったのか？

ぐらぐらと視界が揺れた気がした。動揺なのか眩暈なのか何なのかわからない。なんとなく吐き気のようなものがこみ上げ、さあっと血の気が引いた。次第に呼吸するのさえ苦しくなってくる。

理人は哉也の方に背を向け、会場の外を目指した。

「すみません。俺、ちょっと酔ってしまったので」

人の波をかきわけ、理人はなんとか出入り口にたどり着く。

一体どういうつもりで哉也は自分をここへ連れてきたのだろう。何を求めているというのだろう。こういうところが嫌いだとわかっているはずなのに。それとも昔のことだから忘れてしまったとでもいうのか。

哉也がやさしくしてくれるからといって浮かれすぎていた。

何が友情のやり直しだ。

恥ずかしくて、情けなくて、もう今すぐにでも消えてしまいたい。

ざわつく会場の音がやたら遠くに聞こえる。

心拍数がどんどんあがっていき、ふらついた足でなんとか前へ進むものの雲の上にでもいるかのようだ。

気が遠くなるような思いで理人が会場のドアに手をかけたとき、急に腕をぐいっと掴まれ、一気に現実に引き戻される。

「おい、一ノ瀬、待ってくれ。どうしたんだよ」

恋しい人の顔が見られた瞬間、安堵を覚えるよりも先に、怒りにも似た悲しみがこみ上げてきた。

「どうして、俺をここに連れてきたんだよ」

「ごめん。ひとりにして悪かった」

「そういうことじゃない。冗談にもほどがあるだろ！」

普段、声を荒らげることなどほとんどない理人に怒鳴られ、哉也は言葉を失ったようだった。手の力が一瞬にして緩む。

「……とにかく出よう。顔が真っ青だ」

哉也はそう言い、理人の震える背中を支え、扉を開いた。

ようやく騒々しいホールから逃れられ、息が詰まるような圧迫感から解放される。だが、沸々とたぎった苛立ちは消えなかった。

何に苛ついているのかも、もはやわからない。哉也にあたるのも間違っているのかもしれない。勝手に期待した自分が悪かったのだから。

とにかく自分が情けなくてたまらなかった。惨めでならなかった。

そして、疎外感、孤独感、劣等感……それらが茨のように絡みついてくる。

ホールから出て人気《ひとけ》のない場所に連れてこられると、ようやく哉也は理人の身体から離れた。

「大丈夫か？　そこに座ればいい。水をもってこようか」

「……そんなのはいい。俺にどうしてほしくてここに連れてきたの？　営業になるとか……こっちが頼んでもないのに、何のつもりなの？」

理人が再び追及したところ、哉也は食い下がってきた。

「気分を害したなら謝る。でも、誤解しないでくれ。俺はおまえの力になりたかったんだ。がんばってるおまえを見ていたら何かしてやりたいって思ったんだ。それがいけないことなのか」

「そういうの、わからないのか？　余計なおせっかいだ。わざわざ見せつけたかった？　優越感に浸りたかったのかよ。それで？　婚約者を紹介して、結婚しますって報告するつもりだった？」

理人は感情のままに言い放った。

喚《わめ》き散らしてみっともないとわかっている。だが、今さらもう引っこみがつかなかった。

「違う。一ノ瀬。落ち着けって」

「何が違うんだよ。今さら俺に会いにきたのも、からかうためだったんだろ。高校のときだってそうだ。またなんかの賭けでもしたのかよ。婚約者がいるくせに、俺の気持ちがわかってて弄《もてあそ》んだんだろ」

ずっと抑えていたものが止《と》め処《ど》なく吹きこぼれていく。

言ってはいけないことを口走ったという自覚はある。けれど、もう遅かった。

「一ノ瀬」

哉也が揺さぶるように理人の肩を抱く。

「おまえこそ何なの。またって……一度だってそんなことあるはずない。ずっと……そんなふうに俺を見てたのか？　どうしてそんなふうに拗《ねじ》くれてるんだよ」

肩に哉也の指が食いこむ。痛みが走るのをこらえて、哉也を見上げた。

傷ついているのは理人のはずなのに……哉也の方がずっと傷ついた顔をしていた。

「……っ今さら、そんな顔して、俺を見ないで」

理人は声を絞りだすようにして言い、唇をぎゅっと噛んだ。

そこから何を言ったらいいかわからなくて言葉に詰まる。ただ身体だけが熱くてどうにかなりそうだった。

こんなふうになりたくなかったから、一定の距離を保っていたのに。これじゃあ何のために再会したのかわからない。

終わってしまう。

ああ、二人は結局、そういう運命でしかないのかもしれない。

今度こそ、終わりなんだ。

理人は崖に立つような気分で、哉也を見上げた。

引き下がるかと思った哉也が、理人の腕をぐっと掴む。

「わかってるさ。今さらだってわかってるよ……。けど、どうしても、おまえに会いたかった。やっと見つけたと思ったんだ。やっぱり……友人の関係なんて、俺たちには無理だ。俺には最初から無理だった」

哉也の言葉が氷の刃《やいば》のように胸に突き刺さる。

「……そう思うなら、離せよ」

「離さない。どうしてこんなことするのかって、おまえは聞いてきたよな？　そんなの……おまえが好きだからに決まってるだろ！」

哉也の鋭い声に、理人はびくっとする。

追いつめられて、壁にどんっと肩があたる。

「長谷……んっ」

背中に壁の冷たさが伝うより早く、唇をふさがれた。

驚いた理人は哉也から逃れようと彼の胸を押すが、びくともしない。

手首を拘束され、喘《あえ》いだ拍子に開いたところから、あたたかい舌が入ってくる。

「……っん、……んっ」

まるで獣のように喰らいついてくる唇が、熱い。

吹きこまれる吐息が、焼けるような熱を送り込んできて、抵抗する間もなく溶けてしまいそうだ。

理人はいやいやと頭を動かした。けれど、哉也の唇が何度も何度も強引に奪ってくる。噛みつくようなキスをする。

「……ん、やめ、……んっ！」

「……やめ、ない……逃がさない……」

脅しにも囁きにも聞こえるような低く掠れた声で哉也は言い、理人の両方の手首をそれぞれ壁に押

さえつけたまま、口腔を蹂躙《じゅうりん》する。

苦しくなって喘げば、哉也の濡れた唇が貪るように重なり、逃れようとする舌をねっとりと執拗《しつよう》に追いかけてくる。

「んっ……！」

理人が胸に秘めている想いをすべて暴いてやるとでも言いたげに、かぶりを振りながら逃れる理人を哉也は離してくれない。

乱暴で強引なのに、絡める舌はやさしく、理人の昂ぶった感情を包みこむかのように蕩《とろ》けさせていく。

やがて目頭が熱くなり、目尻から涙がこぼれ出した。

ずるり、と身体が崩れていきそうになったところで、ようやく唇が離された。

「……どうして、こんなこと……するんだよ」

「十年……おまえにとって、どうだった……？」

「どう……って……」

互いの荒々しい吐息が、やたらロビーに響いて聞こえた。

「俺にとっては長かったよ。何もできないガキのままじゃいられないと思ったから……必死にやってきた。けど、一日だっておまえのことを忘れたことはなかった。十年経とうともな」

哉也の熱い言葉が、胸の中心を甘く貫く。

「嘘だ」

とっさに理人はそう口走ってしまった。

「嘘じゃない。今だって毎日おまえのこと考えてる。やっぱり、おまえじゃなきゃだめだ……だめなんだ」

哉也もまた言い返してくる。少しも逃さないといった視線で、理人を追及してくる。これ以上みっともない自分の心情を暴かれるのがいやで、理人は声を荒らげた。

「変わったと思ったのに。でも、何も変わってない。そうやって強引なところ……人の気持ちを無視するところ。興味本位で俺に近づいて……ぐちゃぐちゃにかきまわすところ。もう中途半端な真似しないでほしい」

再び離せと言い、理人は逃げようとするが、哉也は離そうとしなかった。

「一ノ瀬は俺を誤解してる。俺は、これまでだっておまえのことしか考えられなかった。アメリカに発つぎりぎりまで、おまえが来てくれるって信じてたんだ。でも、もう過去のことはなんだっていい。もう俺はあのときのようなガキじゃない。今度こそもう……おまえを逃がしたくない」

哉也が懸命に訴えてくる。

理人は最後の力を振りしぼって哉也を押しのけると、逃げるように走り去った。

「一ノ瀬……！」

哉也の声が背中を追いかけてくる。だが、構っていられなかった。

——おまえのこと一日だって忘れたことはなかった。


嘘だ、嘘だ、嘘……。

じゃあどうして婚約者がいるんだ……。

その答えは簡単に出る。

当然だ。哉也は跡継ぎなのだから。それをふいにしてもいいって言えるのか？

今にも地に膝がついてしまいそうになるのをこらえながら、クレッシェンドホテルの外へと向かった。一刻も早く、身体を蝕《むしば》む熱から逃れたかった。


目覚めは最悪だった。

いつ眠りについたのかもわからなかった。

繰り返し浮かんでくるのは昨晩のパーティー会場のこと。

哉也からの告白、想いをぶつけるような激しいキス……。

そして、抗いきれなかった自分自身にも、逃げるしかなかった自分自身にも、腹が立った。

あたりさわりのない付き合いで、おだやかな関係をつづけていれば、ただそれでよかったのに。今度壊してしまったら、もう一生会えなくなると思ったから、衝突することを避けていたのに。

全部……無駄だった。

一夜明けてから、理人は激しく後悔した。

(……本当に、俺はバカだ……)

こんなことなら正直になればよかった。

哉也には婚約者がいるのだから、すっぱり諦めがつくように振られた方がマシだった。

傷つけないように、傷つかないように……そんなふうに壊れ物を扱うようにしていたって、形あるものはいつか壊れるのだから。ずっと永遠につづくものなんてないのだから。

そんなこと、高校時代にもう散々味わったくせに。

——おまえのこと一日だって忘れたことはなかった。

哉也の言葉が、何度も鼓膜に蘇ってくる。

あんなふうに哉也が想ってくれているなんて知らなかった。もしかして哉也は最初から友達としてやり直したかったのではなく、離ればなれになったときの二人からはじめようとしていたのだろうか。

それがわかったからといって、あんなにひどいことを言ったのに今さらどんな顔をして会えばいいというのだろう。学習能力のない自分に心底辟易《へきえき》する。

寝不足で頭痛がする。瞼の奥が重たく、くらくら眩暈までしてきた。

こめかみを押さえながらため息をつき、ベッドからのそりと起き上がる。

テーブルの上に目をやると、ケータイが点滅していた。受信メールの新着件数が二件増えていた。日付は昨日だ。

送信主の名前を見た途端、どくりと全身の血流がめぐった。

メールはどちらも哉也からだった。

画面を押す指が震える。内容を見るのが怖い。なんて書いてあるのだろう。勇気を出して押したところ、画面に表示されていたのは、タイトルのない一文だった。

【もう一度会って話がしたい】

次のメールも、一文だけ。

【おまえときちんと向き合いたいんだ】

その文面を読みながら、昨晩の哉也の激昂した様子が思い浮かんだ。と同時に、悲しげに揺れていた彼の瞳を思い出してしまった。

理人は迷ったが、結局返信しなかった。すると出勤する間際に哉也から電話が入った。けれど、かけ直すこともしなかった。

しなかった……というより、できなかった。

口を開いたらまた衝突してしまいそうだったし、メールで文章にすれば、言い訳ばかりしてしまいそうだったからだ。

哉也の言うとおり、逃げてばかりだ。

過去も今も、逃げてばかりの人生だ。

わかっている。自分がどれほど臆病な人間かなんて、言われるまでもなく痛感している。

けれど、もう少しだけでいいから冷静になれる時間が欲しかった。

だんだんと頭だけでなく、胃まで痛くなってきた。みぞおちのあたりがきりきりして息苦しい。胸の奥がもやもやする。

体調は最悪だ。けれど、店は開けなくてはならない。客の予約が入っているし、待っている従業員がいる。

鉛のついた足枷《あしかせ》を塡《は》められたような気分で店に行くと、従業員の二人が揃ってぎょっとしたような顔をした。

「えっ……ちょ、オーナーどうしたんですか。具合が悪いなら、休んでいた方が……私たちでできることしますから」

未知が慌てふためいたように言う。

「え？」

きょとんとする理人に、香織がテーブルに備えてあった卓上型のミラーをすっと前に差し出してくる。

「ああ、本当だ」

目の下のクマは、自分が感じている以上にひどく映っていた。元々色素の薄い肌をしているので人より目立つのだ。

「ちょっと色々考えごとしてたら眠りが浅くてね」

笑ってごまかそうとするが、覇気のない表情を見てからでは、自分で言っていて痛々しい。

「もしかして、彼女と喧嘩ですか？」

おそるおそる未知が聞いてくる。

「そんなんじゃないよ」

理人が否定すると今度は香織が思い立ったように事務所の奥に引っこんで、そしてすぐに戻ってきた。

「私に任せてください。お客さんがびっくりしない程度には、カバーコンシーラーでごまかせますよ」

香織が不自然にならない程度のメイクを施してくれ、なんとか見栄えだけは整えられたが、その日は鬱屈した気持ちのまま一日をどうにか消化するので精一杯だった。

オーナーらしからぬ言動で従業員を心配させてしまったし、この店が一番大事で宝物だと思ってやってきたのに、これではどうしようもない。

午後からはほとんど従業員の二人に接客を任せ、理人は事務室にこもって書類の整理に勤《いそ》しんだ。

今日の予約は八時が最終で、駆け込みもないような雰囲気だったので、そろそろ閉店準備をしようかというところに、誰かの足が駆けてくるのが見えて、理人はシャッターを摑んだ手を止めた。

今夜はかなりまいっていたが、客をないがしろにしないことをモットーにしている。それだけは崩すわけにいかない。従業員二人は帰ってしまったあとだから、理人が対応するしかない。

笑顔をとりつくろって接客しようとした――が、やってきた人の顔を見た途端、理人の表情が一瞬にして強張った。

息を切らしてやってきたその人が……悩みの種である哉也だったからだ。そのうえ、今まで見たことがないくらい険しい顔をしている彼の迫力に気圧《けお》されそうだった。

戸惑いを隠せない理人に対し、哉也はシャッターを潜《くぐ》り抜け、無遠慮に踏み込んでくる。

「一ノ瀬、どうしておまえはそうなんだよ」

第一声にビクリと肩が震える。足が根っこになってしまったように佇んでいると、哉也が理人の肩をがしっと摑んできた。

「いつもそうだ。昔からそうだった。大事なことから逃げようとする。自分で勝手に答えを出そうとする。黙って……何も教えてくれないまま、どうして俺から……逃げようとするんだよ」

哉也の声が憤りで震えている。理人はただ哉也を見つめ返すことしかできず、唇をきつく嚙みしめた。

何も答えない理人に、哉也は尚《なお》も食いかかってくる。

「たしかに俺も俺だったと思う。おまえの言うとおり、おせっかいだったよ。昔も、今も、誤解させるような言動をしてきたんだって反省した。だけど……本気なんだ。この気持ちだけは否定しないでくれ」

哉也が苦しげに睫毛《まつげ》を伏せる。そんな姿を見たら、胸の奥が捻《ひね》られるように痛くなった。

否定されることが何よりも辛いことだと、理人は知っている。

自分の人格や個性を無視されつづけることがどれほど悲しいことかも。それなのに……。

「……長谷川」

理人の消え入るような声を聞いた途端、哉也はハッとして肩に置いた手の力を緩め、それから理人を諭すように言った。

「お願いだ。冷静になって話を聞いてくれないか。話しあうことすら許されずに、おまえに拒絶されるのは辛い」

通行人がこちらをちらちらと気にしながら去っていく。このまま店の前で言いあっていては互いによくないだろう。

「……わかった。とりあえず……店の中に入って」

理人は哉也を中に入るように促し、周りの目が気にならないようにシャッターを完全に閉めきった。

他の場所に連れていかれるよりも、自分が大事にしている店の中の方が理性を保てるかもしれないと思ったからだ。

昨晩は混乱していた。色々なことが一気に押し寄せてきて、平常心を失っていた。哉也の言うように、あの頃からずっと後悔してきたのなら、今こそちゃんと向きあわなくてはならないだろう。

哉也は今すぐにも話を切り出したそうにしていたが、とりあえず理人はいったん落ち着くためにコーヒーを淹《い》れることにした。

こぢんまりした店の中に芳《こう》ばしい香りが漂う。

「どうぞ」

「……すまないな」

何から話をしていいいか、哉也はこちらの様子を探っている感じだった。理人もまたどう切り出していいか考えあぐねていた。

堂々巡りの言い争いになることだけは避けたい。もうとっくに自分の気持ちはぶちまけているのだから、ここまできたら正直に洗いざらい話すべきだろう。

そう思った理人は、哉也よりも先に自分から切り出した。

「俺、この店が……大切なんだ」

静まり返った店内に、想いを込めた理人の声がしんみりと響きわたった。

「ささやかな日常があればいいと思った。高校を卒業したあと、俺は家を出てひとりで暮らしはじめた。何もない状態からやっと見つけた……ここが俺の居場所なんだよ」

今も尚、父親とは連絡をとっていない。大学を中退したあとアルバイトをして稼いだ金と自分名義の貯金は、店をオープンするために注ぎ込んだ。わずかながらの売り上げは月々母親に返済している。

本当はまとまった金を貯めてから渡すつもりだったが、簡単に連絡を入れられない今は、こうすることで安否の代わりになると思ったからだ。

今も尚、理人はひとり。あるのはこの店だけ。

それでも従業員と客に恵まれ、つづけることができている。

ここは理人にとってかけがえのない場所なのだ。

「長谷川には感謝してるんだ。俺がこの道を見つけられたきっかけになっているから。高校時代に……荒《すさ》んでいた俺に、個性を大事にしろって言ってくれた長谷川の言葉が俺の支えだったよ」

「一ノ瀬……」

申し訳なさそうに哉也が眉尻を下げる。

「だから、俺は細々とでいいから、第二の人生をスタートしたここを大切にしていきたいと思ってるんだ。長谷川にとってみたら……もどかしいのかもしれないけど……これが俺だから」

一気に話をして喉がからからになり、手元のコーヒーに口をつけた。

「……悪かった。おまえの気持ちを無視して、自分の考えを押しつけて、突っ走りすぎたよ」

哉也がいちだんと低い声でそう言い、頭を垂れた。

理人は首を横に振って否定する。

「いや、違う。あの日、長谷川の言うとおりだったんだよ。店が好きなだけじゃだめだ。お客さんに好きになってもらわなければ商売としては成り立たないからね。俺があんなふうに取り乱したのは……長谷川に対する嫉妬だったんだ」

意外な言葉を言われた、というような顔をして、哉也が見つめてくる。理人は堰《せき》を切ったように語った。

「今、言ったように、俺は名家の跡取りとしての責任を放棄して、家を出てきたんだ。でも、長谷川はちゃんと自分のやるべきことをやっていて、なんていうか……大人に見えた。そういうおまえにお似合いの婚約者がいるなんて話を聞いたら、どうしようもない気持ちになったんだ……いたたまれなくて情けなくて……辛くて……逃げ出したかった。おめでとうと言えることができない自分にがっかりした。十年前と同じように、幸せになってほしくて身を引くのが当然なのに」

そう言い訳しながら、顔が熱くなっていくのを感じた。

孤独感や疎外感なんてものは、哉也に再会する前から持ち合わせていた感情だったのに。いい歳《とし》をしてなんて子どもじみたことをしたのだろうと、今になって恥ずかしくなる。

哉也がもどかしそうに深いため息をつく。

「つまり……どういう意味なのか、ちゃんと聞かせてくれないか。そうじゃなけりゃ、俺は、いい方に解釈するぞ」

「どういうって……だから……今、言ったとおり……」

理人はここにきて口ごもってしまう。

けれど、心の中ではもうとっくに答えが出ている。

好きだから、嫉妬していた。

哉也に対してというのももちろんあるが、哉也の周りを取り囲む人たちに嫉妬していたのだ。彼を独占したくて……。

ああ、そういうことだったんだ、と自分で納得した。

幸せを願う？　壊したくなかった？　そうじゃない。本心ではずっと哉也が欲しかったのだ。

けれど、うまく言葉が出てこない。

すると、哉也がふっとため息をつく。

「ごめん。卑怯《ひきょう》だよな。いい。俺から先に言わせて」

そう言い、理人の手を握った。

乱暴にではなく、ふわりとあたたかく包みこむように。その大きな手が震えていた。

「俺、今でも好きなんだよ、一ノ瀬のこと。ずっと……おまえのことが好きだった。嘘じゃないし、興味本位でもない。本気で好きだった」

ぎゅっと力を込められた指先から、彼の瞳から、その唇で紡がれる言葉から、想いが伝わってくる。

今度は胸がいっぱいで、こみ上げてくるもので言葉に詰まる。

「……っ」

——興味本位という言葉が胸を焼いた過去。哉也が理人に構うのも同じ類なのだと思って傷ついた。

けれど、そうじゃなかった。

哉也の口からはっきりと真実を聞けて、ふさがっていた気持ちがやさしく癒され、身体の強張りがほどけていく。

「最初は戸惑った。俺はそれまで女と付き合ってたし、男同士なんて嘘だろって自分が信じられなかった。でも、どう考えてもやっぱり……おまえが好きだったんだ。だから、どうしてもおまえの気持ちが知りたかった。おまえよりも先に知りたかったんだ。ガキだよな……。身勝手に感情を押しつけて、傷つけてごめん」

「……長谷川」

「でも、拒まれても俺は……諦められない。再会してから思い知らされた。ほかの誰かじゃ代わりなんて利かない。おまえのことが頭から離れない。おまえじゃなきゃだめなんだってな」

哉也がそう言いながら、やさしく包みこむように手を握りなおしてくる。その指先が震えている。

否、震えていたのは理人の方だったかもしれない。

「好きで……いていいの？　俺に、そんな資格があるの？　俺は……あの日、手を振り払ったんだ。アメリカに発つ前、会いたいって言ってくれた長谷川のことを無視したくせに、いなくなってからずっと後悔して……忘れられなかった。それなのに、また同じことをしようとしたんだ。幸せを願って身を引こうとするくせに、潔く忘れられもしない。こんな臆病で意気地なしの俺でもいいの？　俺は……長谷川のことを……ずっと好きでいて……いいの？」

言いながら、涙が溢れてくる。

もう隠すことなど何もない。これ以上の言葉が見つからない。

視界がぼやけて、うまく哉也の顔が見えない。あたたかい彼の手の感触だけが理人の心を落ち着かせていた。

「バカだな。好きでいていいに決まってる。それだけじゃない。俺は欲張りだから、今以上にもっと好きになってほしいと思ってる。十年……長すぎだよな。でも……遠回りしたなんて思わない。それぞれ社会人になって培ったものがあるからこそ、二人は再会できたんだと思ってる。そうじゃないか？」

「けど、婚約者がいるって……」

「パーティーの前にきちんと説明しておかなくて悪かった。言い訳になるが、彼女が来るのは不意打ちだった。妙な噂が立ってたけど、婚約の件はきちんと断ってあるから心配するな」

「本当、に？」

「……あ、っ」

理人が問いかけると、哉也がぐっと腕を引っ張って、抱きしめてきた。

ガタっとテーブルが揺れた拍子にティーカップも揺れて、中身のコーヒーがこぼれる。

まるで今の二人みたいだと思った。

きっかけさえあればいつだってよかった。溢れるほどに好きな気持ちが知られるのなんて時間の問題だったのだ。

「……ごめん。嫉妬してくれたのか。そう思ったら、もう我慢できなくなった」

「……っ」

哉也の腕の中はとても心地よかった。

今度こそ、高校時代のあのときのように振り払うことはしなかった。

理人だって男だからそれなりに肩幅はあるけれど、哉也のはそれ以上に広く、理人をすっぽりと包みこんでくれる。その腕の中で理人は自分から腕を伸ばし、哉也の背に縋りついた。

哉也の首筋から汗の匂いがする。仕事が終わってすぐに来てくれたのだろう。そう思うと、どうしようもなく愛おしくてたまらなかった。

「一ノ瀬は……俺を買いかぶりすぎだ。手を振り払われたときは言葉にならないぐらいショックで、怖がらせるんじゃないかと思ったら伝える勇気が出なかった真性の臆病者だよ。十年ぶりにおまえを見つけたあと、どれほど舞い上がっていたかわかるか？　おまえに会いたくても、どうしたら警戒されないで店に行けるかってそればっか考えて一年も足踏みをした。ほんと、一歩間違えたらストーカーだよ」

哉也がため息交じりに言い、抱きしめる腕を緩めた。

「……店に通ったのも、それが目当て？」

「……そうだよ、悪いか」

ふてくされたように哉也が言うので、今の今までシリアスな場面だったというのに理人はつい笑ってしまった。

「そこで笑うなよ。本気だったんだからな」

きまり悪そうに哉也が言う。

「いや、そうだったのか、と思ったら……なんかこっちこそまぬけだと思ったんだ」

相手を想うばかりに互いに振り回されていたのだと思うと、妙に滑稽《こっけい》で笑えてしまう。

けれど、哉也はすぐに真顔になって言った。

「再会したから一時的に燃え上がったとかそういうんじゃなくて、ちゃんと大切に想ってる。だから、おまえの気持ち……もう隠さずに、教えてほしい」

それから二人は間近に見つめあった。今すぐにでもキスできそうな至近距離だったが、哉也はむりやりすることはしなかった。

なしくずしのままキスをしたら、あのときと同じことになってしまうと思ったのだろう。

「俺だってこうして触れたかった。長谷川のことが好きだったんだ。手を振り払ったのは、嫌いだったからじゃない。怖かったんだ……興味本位だって言われるのが」

「……興味本位、そうとられてたのか」

「わかってる。でも、あのときは……そう思ってしまったんだ」

それから理人はすべてをありのままに伝えた。

高校時代に意識しまくっていたこと、どれほど哉也のことが好きだったか、一緒にいてどれほど癒されてきたか、それが家庭環境や自分の外見などでふさいでいた自分の心を救ってくれたか……守られてきたか。

あの頃の理人には何もなかった。投げやりな人生を過ごしていた。それが哉也と出逢って変わったのだ。

「俺にとって、長谷川は……唯一の人だったんだ。ずっと好きな気持ちを隠しつづけていれば、きっと……つづくと思ってた。あんなふうになるまで、自分がどれほど愚かだったかわからなかったんだ。大切だから……失いたくないからそうしてきたはずなのに、自分から失くすようなことをしたんだ。誰より臆病だったのは俺だよ」

涙がこみ上げてきて視界が揺らぐ。

「一ノ瀬……」

「傷つけて……ごめん」

ずっと触れたかった哉也の手に改めて触れ、愛おしさで胸がいっぱいになる。触れた指先が震えてしまっていた。

その指先をついっと引き寄せられたかと思ったら、そのまま哉也の唇に触れさせられた。慈しむように指先にキスされて、その部分が熱を帯びていく。不思議と、震えていたはずなのにだんだんと治まってくる。

それから哉也は改めて理人の手をそっと重ねてきた。

「堂々巡りはもうやめようか……なんかもう、たまらない。相思相愛だったわけだ、俺たち。どれだけ遠い回り道なんだ」

　哉也が少しおかしそうに笑って、子犬が叱られたみたいな瞳を向けてきた。理人もまたつられたように笑いたくなる。

「なあ、一ノ瀬。あの日からはじめないか。一方的に終わりにしたままじゃなく、つづきがしたい」

　熱っぽい瞳にあてられ、理人の頬がますます赤くなっていく。

　哉也は懇願するように指先から手のひらのくぼみへとキスをして、理人を見つめた。

「お互いが想ってるって実感したい。きっと……それが俺たちにとって必要なことだったんだと思うから」

　もう逃げないで……そう言いたげに、ぎゅっと手が握られる。理人は今度こそ振り払わずに、その手を握り返した。


　店を出て二人はタクシーに乗り、哉也のマンションに向かった。

　理人のアパートの方が近かったが、散らかっていて足の踏み場がないなどと適当に言い訳をして断った。

　つづきがしたい……言葉どおりのことを期待するなら、初めて好きな人と結ばれる場所が築三十年というボロアパートというのはなんとなく気が引けたのだ。

部屋に呼びたくないってことか？　と哉也に詰め寄られ、理人は狼狽したものの、また今度あがってもらうから……と約束をとりつけることで難を逃れた。

たしかに逆の立場だったら、部屋に寄らせたくない理由があるのではないかと不安になったかもしれない。理人と同じように哉也も、相手の気持ちが自分に向けられていることを実感したいのだろう。

タクシーに乗ってからも、哉也は理人を逃すまいと手を握ったまま離さなかった。

運転手から変に思われないかハラハラしたけれど、理人も哉也の熱い手を離したくなかった。

無言のままの時間、指先がなにげなく擦《こす》れる感触にドキドキした。

タクシーから降りると、ホテルかと見紛《みまが》う立派なマンションが目の前に見えた。

高層階ならば億はくだらない物件だろう。コンシェルジュが常時待機していてセキュリティも最新式の設備を備えているようなところだ。

「すごい立派なところだね」

「まあ、暮らせばどこでも一緒だと思うけど、生活感はないかもな」

理人の様子を察してか、哉也が自虐的に言った。

「……そうだよ。俺のアパートに来たらびっくりするよ」

エントランスに入れば、五つ星のクレッシェンドホテルのロビーに劣らぬ豪華さがあり、住人が談笑できるスペースまである。ますますボロアパートに連れていかなくてよかった、と思った。

「親が卒業祝いにここの物件を生前贈与だってよこしたんだけど、高校卒業と同時にアメリカに発ったから、十年間ハウスキーピングサービスに依頼したままでさ、一年前に戻ってきてはいたものの出張が多かったから基本はホテル住まいだったし、自分名義のマンションとはいえ、他人の家に来たような気分だったよ」

そう言いつつも、慣れたようにエレベーターに向かう哉也に理人はきょろきょろしながらついていく。

この先、部屋で二人きりということは……と考えると、全身の血液が沸騰したように熱くなり、落ち着かなくなってきてしまう。

哉也の真意を汲むなら、ただ部屋に招かれただけでは済まないだろう。あのときのつづき……その意味を理解しているつもりだ。

けれど、いざとなるとやはり緊張する。

エレベーターの扉が開いた瞬間、シャンデリアの灯《あか》りに反射した大理石の床の輝きに、理人は目を眇めた。すぐ目の前には真鍮《しんちゅう》のドアがあった。

哉也がカードキーで開錠されたドアを開き、どうぞ、と待っていてくれる。

「中、入って」

「お邪魔します」

おずおずと入ると、ドアが閉まった途端、後ろから抱きしめられ、「ひゃ」っと情けない声が漏れ

てしまった。

「……やっと捕まえた」

乱暴にではなく包みこむように抱きしめられ、胸の奥までぎゅっと締まる。存在を確かめるかのように強められた腕の中で、理人はどうしたらいいかわからなかった。

心臓の音が耳のあたりまで迫っているようにうるさく鳴っている。

抱きしめられたまま、理人は哉也の腕にそっと手を添えた。それを合図に哉也がふっとため息をこぼした。

「ひとつだけ言っておく。ひどいことはしない。ただ……性急になりそうになるのは、おまえが好きだからだ。それだけは知っていてほしい」

「……わかった」

「おまえも約束してくれ。絶対に逃げないって」

そうでなきゃ放さないと、腕の力がまた少し強まる。

触れている哉也の腕に胸のドキドキが伝わってしまわないか心配で身体が強張る。

「……っずるい。交換条件みたいに」

「じゃないと、部屋にあがらせて何もしない自信なんてないからだよ。おまえが受け入れられないっていうなら、今すぐ送ってく。どうする？」

耳に触れる声が切なげに掠れる。

哉也は理人の気持ちを尊重してくれているのだろう。

けれど、背中越しにさっきから伝わってくる彼の激しい鼓動からして、彼が欲していることはわかる。

理人は静かに首を横に振った。

「……帰らない。決めたから」

「ほんとに、いいんだな？」

「……いいよ。そうなってもいいって思ったから、……だから今夜、ここまでついてきたんだ」

「……やばいな。おまえにそう言われるの、嬉しくて……おかしくなりそうだ」

哉也が熱っぽい吐息を漏らし、やさしく絡めた腕をそっと動かした。

耳朶《じだ》に、頬に、熱い吐息とともに触れるキスが、理人の身体に火をつけていく。

いつの間にか余計な雑念が消えて、哉也のことしか考えられなくなっていた。

心臓の音がどんどん速まっていく。

肌で哉也の唇の感触を味わうたびに、腰の奥に甘い疼きが走った。

正面を向かされた途端、欲情しきった瞳と目が合い、心臓を撃ち抜かれるかと思った。

「ずっと好きだった……おまえ以外に要らない。一ノ瀬……俺は、おまえが好きだよ」

「……っ」

「……朝まで離さない、逃がさないからな」

甘い囁きにくらくらする。

もう逃げたくても、逃げられない。

唇と唇が接触する。

やさしく角度を変えながら啄まれる感触が気持ちいい。

けして性急には事をはじめないように気遣ってくれているのが嬉しい反面、もどかしくてうずうずしてきてしまう。

キスだけで感じてしまっていることを気づかれたくなくて、理人はやんわりと哉也の胸を押し返した。

「こうされるの、いやか……？」

「んっ……ちが、……」

その吐息交じりの甘い問いかけは、正直反則だと思う。

いやじゃない。むしろ、もっとしてほしいと思っている。

けれど、理人にも理由があるのだ。

降り注ぐキスの合間に、理人は哉也の頬に両手を伸ばして、再びストップをかける。

「シャワー浴びたい……んだ。汗、かいたから……」

「気になるか？　俺は……このままでも構わない……おまえの全部、舐《な》めたい」

あんまりにも甘ったるく言うから、頭の中が溶けてしまいそうになる。

「ん、でも、お願い、だから……」

哉也の空気が伝染したのか、理人の口からも甘いため息がこぼれた。

哉也は理人の瞼や目尻にキスをしながらも、抱きしめる腕を緩めてくれない。いたずらっ子のように理人の動きを妨害して、相変わらずキスを降り注いでくる。

「じゃあ、一緒に入る？」

ちゅっ……ちゅっと音を立てながら首筋を舐《ねぶ》られて、ぞくぞくする。

「い、いいよ。す、すぐに……出るから」

いやいやとかぶりを振るものの、顎を手でくいっと摑まれ、唇をふさがれてしまった。

「んっ……長谷……川」

なんて獰猛な獣なのだろう、と思ってしまう。

今夜はいくら理人が拒んでも、本気で朝まで離してくれなさそうだ。

「……今はだめ。もうちょっと、キスしてからだ。おまえの真っ赤な顔……潤んだ瞳……もっと見ていたい」

愛しい人の唇から紡がれる言葉は、どんどん甘くなり、理人の思考を奪っていく。

「……はず、かしい……こと、言わないで……どうしていいか……困る」

「バカ。虐《いじ》めてるんじゃない。可愛がってるんだよ」

むりやりしないと公言しているだけに、荒々しい行為は押しつけてこなかったけれど、理人の気持ちが手にとるようにわかっているだろう今は、以前のような遠慮がないような気もする。

舌を絡められ、求められるまま夢中で応じた。

舌先で擦りあうのが気持ちいい。頰の内側や、上顎や、舌の表面をなぞられると、ぞくぞくするほど感じてしまう。

もっと互いの唾液を吸って、苦しいぐらいに貪りあいたい欲求がどんどん強まってくる。

舌を絡めるにつれ、淫靡《いんび》な水音が耳をろうし、下半身に秘めた昂ぶりがずきずきするほど熱を帯びはじめていた。

甘やかすようなくちづけに翻弄され、もうそのまま応じてしまいたいと根負けしそうになったものの、やっぱりだめだと急ブレーキをかける。

「たの、む……から」

気づいたら懇願するようにそう口にしていた。

このままだと本当にキスだけでイってしまうかもしれない。

理人は必死に哉也の腕にしがみつき、唇が離れた隙に彼の胸に額をことんと預ける。

「……ほんとに、待って。俺を大事に想うなら、聞いて」

狡《ずる》い聞き方だったかもしれないけれど、そう言うほかに哉也が離れてくれる術《すべ》はなかった。

どうやら効果的だったらしい。ようやく腕が緩み、もどかしげなため息がつむじに落ちてきた。

「……わかった。待ってるよ。でも、焦《じ》らした分もう遠慮しないから、覚悟しとけよ」

哉也の獣っぽい眼差しにあてられ、ドキッとする。

シャツのボタンをはだけさせた哉也の姿がとてもセクシーで、これからあの逞しい身体に抱かれるのだと思ったら、とても直視していられなかった。

「うっ……とにかく、行ってくるから」

理人はいそいそとバスルームに向かった。

わかっている。理人だってもう哉也にすべてを許すと決めたのだから。

今は別の意味で不安なのだ。

これまでむりやり気持ちを抑えつづけていた分、反動で好きという気持ちが膨れあがりすぎて、とんでもないことをしてしまいそうで……。

せっかくお互いの想いが通じあったのに、ドン引きされるような痴態をさらすのだけは避けたい。

熱いシャワーを頭から浴びながら、理人ははあ……と思いきりため息をついた。

こういう見栄っぱりなところがよくないのだろうか。

もうここまできたら、身も心もありのままを見せてしまってもいいのだろうか。

それが恋人になるということなのだろうか……。

覚悟を決めたはずなのに、臆病な心が時々顔を出しては理人を苦しめる。

心臓の音がうるさくて落ち着かない。バイクのエンジン音のようだ。全身が熱くて息があがっている。熱気のこもったバスルームでは、呼吸するのもままならなくなる。

身体を洗いながら、哉也とのキスのせいで全身があちこち敏感になっていることを思い知る。既に半身では興奮して昂ぶったものが痛いぐらいに張りつめているのに、これ以上触れられたらどうなってしまうのだろう。

理人は昂ぶった自身を手のひらに収め、一度自分で抜いた。そうでなければ本当に、哉也に触れられただけで達してしまいそうだったからだ。

けれど、興奮は少しも治まらなかった。哉也に触れられることを考えるだけで想いは昂ぶるばかりだった。

濡れた身体を適当に拭いてから戻ると、哉也がベッドの上に座ってケータイをいじっていた。

ワイシャツの第三ボタンまでをはだけさせたままでいる哉也の麗しい姿を見て、また鼓動がいちだんと速まる。

一人で抜いてきたことを悟られないかどうか内心ハラハラしながら、理人はおずおずと哉也の傍に寄った。

いったん休戦してしまったせいか、なんとなく微妙な雰囲気になっている。

もしかしてとっくにその気が治まってたりして——などと考えていたのだが、それは杞憂に終わった。

理人が隣に座った拍子に、ゴチソウを待ってましたといわんばかりに狼《おおかみ》が押し倒してきたのだから。

「わっ、ちょっ……まっ」

どさっとベッドに組み敷かれ、見下ろしてくる哉也の真剣な眼差しにドキッとした。

「十分待ったよ。いつまで風呂入ってるつもりだったんだよ」

やや不機嫌そうに言いながら、哉也が頬にキスをしてくる。

両腕に囲われて、逃れる間もなく胴体の重みに押さえつけられ、理人は動揺のあまりにしどろもどろ言い訳をする。

「遅くなって、ご、めん」

「逃げ出したのかと思った」

拗《す》ねた瞳でねめつけられ、胸がきゅんと締めつけられる。

肉食獣のライオンが甘えるのだとしたら、こんな感じなのかもしれない。

「逃げないよ、もう。そっちこそ……いい加減に俺を信用してよ」

疑われることが不甲斐《ふがい》なくなり、理人は上目遣いで訴えた。

「ごめん。じゃあ、何？　色々考えてた？　俺と今夜……することか？　まさか先走って一人で抜いたんじゃないよな？」

「なっ……そういうこと言うから……だよ」

言い当てられたことで、理人はかぁっと顔が赤くなるのを感じつつも、視線さえ逸らせない状況ではなす術もなく、濡れた瞳で哉也を見つめ返すだけだった。

「図星かよ。ほんとおまえって可愛いやつ。別にいじわる言うつもりじゃなかったんだけど、待ってる間、おまえから返信のなかったメールを眺めてたら、妙にむなしくなってさ。なしくずしのままだったらいやだと思ったんだよ」

寂しそうにため息をつかれたら、理人の方が申し訳なくなってしまう。

「ごめん……でも、そんなつもりで来たんじゃないよ。ほんとに……好きだから、なんだ……」

素直に謝って想いを告げると、哉也が目を細めてふっと笑みをこぼし、名残惜しそうに身体を起こした。

「ああ、もう謝罪大会は終わりにしよう。俺もさっさとシャワーを浴びに行ってくるよ」

そう言って、理人の頭を撫でた。

「う、うん」

「なるべく早く戻ってくるから、絶対に逃げるなよ」

わざと釘《くぎ》を刺すような口調で言うから、今度こそムッとすると、哉也は楽しそうに笑った。その笑顔があまりにも屈託なくて、きゅんと胸の中が甘くよじれる。

さっき哉也はどんな気持ちで理人がバスルームから出てくるのを待っていてくれたのだろう。こうして待っている間の方がより緊張するかもしれない。

しばらくして哉也が戻ってくるのが見えた瞬間、理人の鼓動がとくんと大きく跳ね上がった。

理人と違って、哉也はシャツを羽織ったりせずに、上半身裸のまま堂々とやってきた。

水に濡れた髪からのぞく表情が妙に色香に満ちていて、絵になる男とはこういうことをいうのだな、と思う。

隆起した筋肉のくぼみに沿って落ちていく雫《しずく》……その様子が艶《なま》めかしい。まるで獲物をそのまま喰らうために現れた獅子《しし》のようだ。

「何、怯《おび》えた顔してんだよ」

哉也が屈託なく笑うのを見て、理人は少しだけホッとする。

「ただ、見惚れてた……だけだよ」

すんなりと言葉がこぼれていく。

理人にしては珍しく素直だったからか、哉也の瞳が少し見開かれる。

「欲情してくれたか？」

哉也がそう言い、理人の隣に座った。その拍子に手が触れあい、電流が走ったかのような甘いざわめきが胸中に起こる。

「もう、ずっとだよ。ずっと……俺は、長谷川に欲情してたよ」

意外な返事だったからか、照れたように視線を外された。

「……おまえな。よく言うよ」

「本当のことだから」

一度でも素直になったら、もうその先は容易《たやす》いものなのかもしれない。自分の意思にいちいち逆らわずとも、次から次へと甘えた言葉がこぼれていくのだ。

「……参った。そんな可愛いこと言われたら、また暴走しちまうだろうが。無理だって思ったらちゃんと止めてくれ。もう一ノ瀬に嫌われるのはぜったいにいやだから」

「……無理じゃないいし、いやじゃない」

「だから煽んなって。おまえが欲しすぎて……止まらなくなる」

もどかしげに言って、哉也が理人の唇を強奪する。お湯でふやけた唇があたたかく、抱きしめてきた哉也の身体から、ボディソープの爽やかな香りが漂った。

自分の身体からも同じ匂いがしているのだと思うと、なんだかどうしようもなく幸せを感じてしまう。

「……いいよ、止めないで。欲しがって……俺を、長谷川のものにして」

ベッドに組み伏せられて、開かされた脚の間に哉也の胴がぐいっと押しつけられる。

「あ、……」

思わず声が漏れたのは、哉也の昂ぶりを布越しに感じてしまったから。それが嬉しいやら恥ずかしいやらで、理人自身もまた布越しに張りつめるのを感じた。

「全部、脱いで……抱きあおう」

甘く囁きながら、哉也が理人のワイシャツを脱がせ、ズボンのベルトに手をかける。脱がされている間も唇を啄むように吸われ、頭がぼうっとしてくる。

衣服を脱がせあっている間、ベッドが二人の男の重みでギシギシと軋んだ。

たのに。

哉也とこうして一糸まとわぬ姿のまま絡み合うことなど、想像しても叶うことなどないと思ってい

やさしく唇を重ねながら、哉也が理人の肌を確かめるように手のひらでさすっていく。

「……ん、……」

濡れた舌と舌が擦れあうのが気持ちいい。哉也の手がうなじ、肩、胸、腰と、次々に這っていくたび、理人は敏感すぎるほどに反応してしまっていた。

「あ……んっん……はぁ」

「すごい感じてるな」

組み重なった肌で乳首が擦れて、それがまた気持ちよくて、ぐずぐずに濡れてしまう。まるで壊れ物に触れるかのように、哉也の指先が肌をくすぐる。

敏感な場所をわざと避けて触れてくるのがじれったくて、吐息が乱れてしまう。口内を自在に動く哉也の舌に合わせて舌を絡めていると、頭の芯がぼうっとしてくる。

やがて酸素を補うように互いの唇が離れ、哉也が理人の耳朶を食《は》みながら囁いた。

「もっと触れてもいいか」

「……聞かない、で」

ぷつりと硬くなった乳首をいじられ、一気に熱が駆け上がってくる。

「……あ、っん、っ……はぁ……っく……んん」

「……勝手に触れると、怒るだろ」

「……もう、おこら、ない……」

ドキドキしすぎて、うまく言葉にならない。

その間も下半身はズキズキと脈を打っていた。

「本当に？」

「……本当、だよ。言ったでしょ。長谷川のもの……にしてって」

理人は泣きそうになりながら頷く。一方で哉也は幸せそうに笑みを崩し、理人のことを大事に抱きしめた。

今まで何を迷っていたのだろう。

どうして拒絶してしまったのだろう。

もっと早くにこうしていたらよかった。

過去の自分に言い聞かせたい気分だ。

こんなふうに……したかった。

こうすればよかった。

「こうしたかったよ。もうずっと……おまえのことを、こうしたかった」

今しがた理人が思ったことを、哉也が囁く。彼の濡れた唇が理人の首筋を吸い、もどかしげに熱い吐息をこぼした。

「ん……んっ」

先ほど胸板が擦れるたびにじんと疼いていた乳首をきゅっと摘《つま》まれ、びくりと腰が浮く。その拍子に張りつめた先から雫がじわりとこぼれる予感がした。

キスだけじゃ足りないと言いたげに、哉也の武骨な手が理人の熱棒を手のひらに包んだ。

「あっ、やっんっ……」

やさしく扱《しご》きはじめられ、腰ががくんと抜けそうになる。

「あっ」

声が漏れてしまうのを必死に抑えようとしたら、哉也のもう片方の手が伸びてきて、指で唇を開くようになぞってきた。

「だめだ。声、聴かせてくれ」

言いながら、哉也の指が理人の舌を舐らせる。滴っていく唾液を絡め、哉也が自分の口にそれを運んで舐めとる。

「んぅん、……い、やだ」

恥ずかしくて顔から火が出そうだった。

「おまえが言ったんだろ。俺のものにしてって。一ノ瀬を抱いてるって、実感したいんだよ」

「……だって、それとこれとは、違う……んだ。なんで、そういう恥ずかしいこと言うの」

「しょうがないだろ。本心だ」

哉也のその気持ちが嬉しくて、でも恥ずかしくて、どんどん熱が膨らんでいく。ちょっとでも気を抜いたなら、いつでもイける準備はできていた。

喘ぐ唇をいとおしそうに啄んできて、そのたびに哉也は慈愛に満ちた眼差しを向けてくる。その所作だけで、哉也の気持ちが流れこんでくるようで、胸がいっぱいになる。

理人の尖端《せんたん》からは次々と雫が噴きこぼれ、哉也の手をどんどん濡らしていく。

過去、彼の手だけは穢してはいけないと思っていた。今は違う。その手に触れられたい。その手を自分だけのものにしたい。そんな激しい欲求があとからあとからわいてくる。

強弱をつけながら扱かれ、ぐちゅぐちゅと溢れる蜜の入り口を指で擦られた瞬間、頭の中が真っ白になった。

「ん、は、ぁ……やっ……だめっ……」

しとどに流れる雫が止められない。

哉也の欲情しきった切ない表情を目にした瞬間、腰の奥にぞくりと甘い痺《しび》れが走った。

「まって……イき、そうになる、から……」

あっけなく達しそうになり、哉也の手を止めようとした。

けれど唇をふさがれ、舌を絡めとられてしまい、伸ばした手の行方がわからなくなる。

「……いいよ。イく顔見たい。俺に見せろよ」

「……だ、め……ひとり、じゃ……やなんだ。ちゃんと……お互いを、感じたい……から」

理人は手を伸ばして、哉也の硬く張りつめたものを探る。あきらかに理人よりも逞しく太い幹が脈を打っている。

目と目が合ってかあっと全身に熱がこみ上げた。

「わかるか？　おまえを想うだけでこうなるんだよ。もう、我慢できない」

互いの想いの丈に触れ、くすぐったいようないとおしいような不思議な気持ちになる。

「……ん」

唇を重ね、貪るようにキスをしながら、互いの半身の熱を、手のひらや指の腹で愛していく。

吐息が交互に乱れ、一緒に絶頂を目指している気持ちになる。

「……っもうっ……俺、……」

「……挿《い》れていいか？」

理人はこくんと頷いた。

哉也がもどかしげにため息をつき、理人の秘めたくぼみに触れる。

「言っておくけど、こうするのおまえが初めてだから、辛くさせたらごめんな」

そうだ、哉也はもともとノンケだったのだ。

その割には手慣れている気がするのは、女を抱いたことがあるからか。

セックスの巧《うま》い下手というのはよくわからないけれど、間違いなく哉也は手練《てだれ》だ。

不安と嫉妬が急に膨れあがり、バラバラの感情が理人を刺激する。

「もう俺以外とはしないで」

気づいたら身勝手な言葉が出ていた。

「……しない。男で欲情するのはおまえだけだ」

哉也が笑ってなだめるように頬にキスしてくる。

なんだか子ども扱いされているようで不満だ。

「女の子だって、だめだよ……」

「……わかってる。もうこれ以上焦らすなよ。俺も辛いけど、おまえも辛くなるんだぞ」

哉也はそう言い、包装を歯でちぎる。

ついに結ばれるのだと思ったら、熱いものがこみ上げてきた。

濡れた襞《ひだ》にひたりと張りつくようにあてがわれ、胃が竦《すく》みそうになる。

「ぁ……んっ」

哉也が心配するのも頷けた。互いに触れあったせいで、もう既にだいぶ質量がある。幾筋もの血管が這うように浮かんで、硬く張りつめている。これ以上大きくなってからでは挿入するのも容易いことではないだろう。

「いいか？　挿れるぞ」

理人は無言のまま頷いた。

「……っ」

異物がめりめりと理人を押し広げながら入ってくる。

「うっ……あっ」

想像以上に辛く、身体が強張る。でも、苦ではない。

「狭い、な」

痛くならないように尖端をゆっくりと抜き差ししながら、理人のはちきれそうな肉棒を擦りあげ、我慢しきれないといったふうに哉也の吐息が乱れる。それにつられて理人の興奮もまた高まっていく。

「俺、だって……初めて、だから……」

「……え？　マジか」

「……本当だよ、長谷川が……初めてで、うれしい。忘れないで……よかった」

言いながら涙ぐんでしまうと、哉也が切なげに眉尻を下げた。

「……やばい、そういうこと言うな……嬉しくて、ますます辛くなるだろうが」

「……本心、なんだから、しょうがないだろ」

さっきの哉也を真似て理人が言うと、哉也はふっと笑った。

空洞の中にそれがあるのだと思うと、もどかしくてならなくなる。

もう本当にひとつになって、すべてを満たしたくなる。

哉也が腰をぐっと掴み、やさしく抽挿《ちゅうそう》をつづける。

「……やばい、気を抜いたら……もっていかれそうだ……」

切なげに吐息を漏らす哉也の声にすら、感じてしまう。

尖端がぐりぐりと押しまわすように入ってくるにつれ、背筋を甘重い快感が駆けぬけていく。

「あっんっんっ……」

痛みと、快楽とが交互にやってくる。

後孔の引き攣《つ》れを感じる頃を見計らい、哉也の手が屹立《きつりつ》を握りしめてくる。そればかりか巧みに強弱をつけながら責めてきて、腰から力が抜けてしまいそうになる。

「……な、んか……慣れてる……ずる、い」

「……脳内でどれだけおまえを抱いたと思ってる？　そのせいだよ」

もどかしげに、憤りをぶつけるかのように、哉也が叩《たた》きつけたいのを我慢するような動きをしながら問いかけてくる。

「あっ……っく……はぁ、……ん」

甘い拷問責めに遭い、理人は身体を揺らす。

哉也のいきりたった剛直が窄《すぼ》まった孔壁に抜き差しされるたび、えもいわれぬ快感で激しく痺れる。好きな人にすべてを満たされているのだと思えば思うほど、愉悦と幸福感で眩暈がした。

珠《たま》のように流れてくる哉也の汗や、苦悶に歪んだ色っぽい顔を眺めながら、さっき出したばかりなのにまた擡《もた》げてきていた。

「滴るぐらい濡れてる……気持ちいいか？」

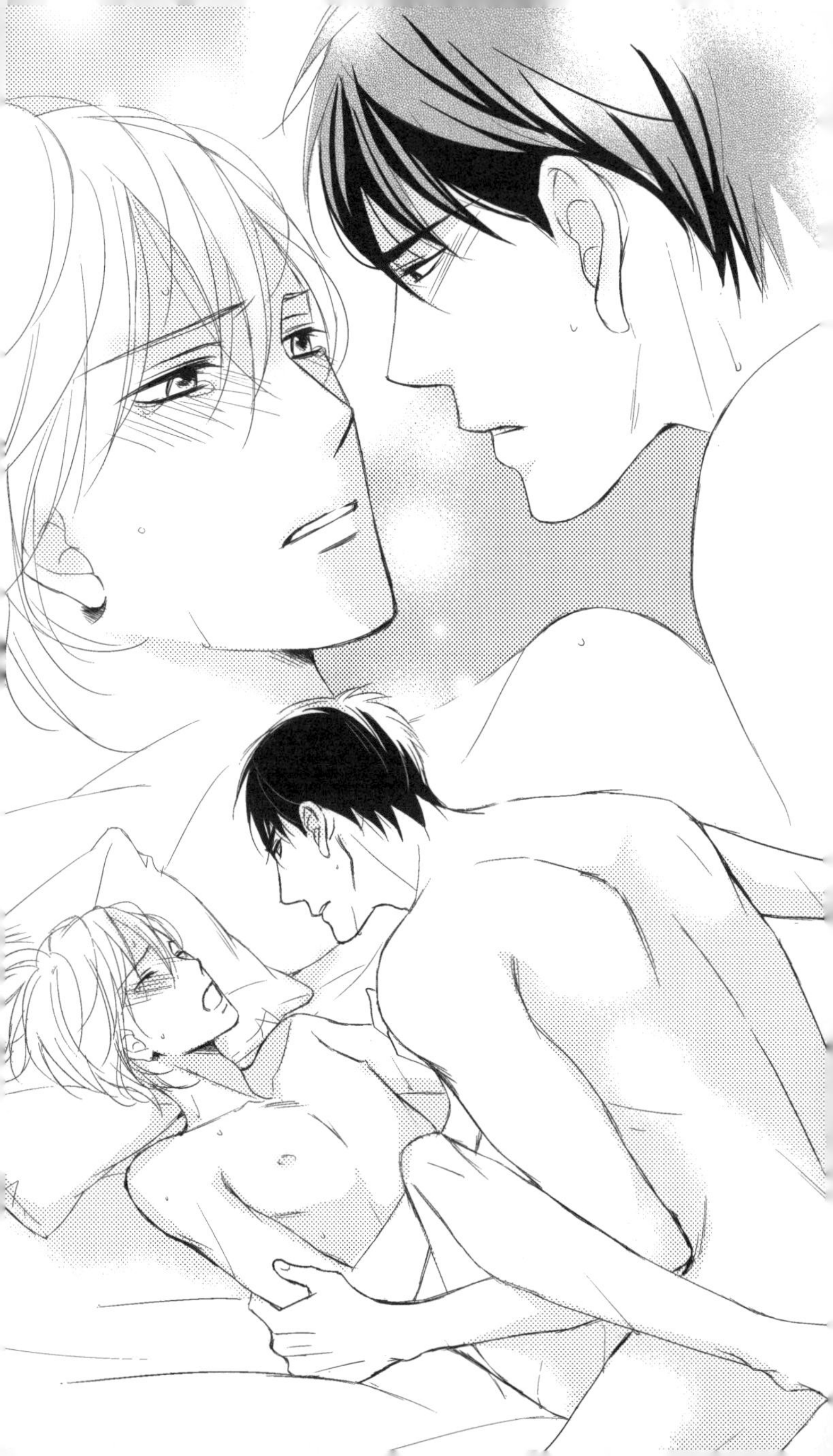

「んん、……い、っ」

「いいなら、いいって言えよ……だめなら、やめる……から」

引き抜こうとする哉也の動きを察知して、理人は思わずぐっと力を込めた。

「やだっ……」

「……っ急に、締めるなよ」

「……だって、やだ……」

「……だから、辛いなら……やめる。無理にはしたくない」

「違う、んだ……やめ、ないで……きもち、いい……から……もっと触って」

与えられる痛み以上に哉也に抱かれたい想いの方がずっと強い。それと同時に、ちゃんと哉也も気持ちよくなってくれているのか不安でもあった。

「……長谷川は……ちゃんと、気持ちいい？」

「ああ……俺も、気持ちいいよ。中……すげー熱いな……溶けちまいそうだ」

汗が滴り落ちてくる。

互いの声が途絶えがちになる。

たくさん伝えたい言葉があるはずなのに、口をついて出てくるのは意味をなさない声や吐息ばかりになっていく。

それまでゆっくりと中を押し上げるように動いていた哉也の腰が、徐々に激しく動きを速めていく。

苦しいのに、でも哉也にされているのだと思うと嬉しい。嬉しくて感じすぎるのを止められない。

「あ、まって、……イく、イっちゃう、から……」

ガクガクと身体が震えていた。哉也を咥《くわ》えこんでいるところが収縮し、先端からだらだらと透明の蜜が滴っていく。

「は、……やばい、こんなの初めてだ……ごめん、俺も、我慢できない」

ぐいっと腰骨が当たるぐらい打擲《ちょうちゃく》音を立て、泣きそうな声を、唇で封じられた。ねっとりと舌を絡めとられ、指先でいじられた乳首から身体の中心に熱が迸る。

理人はこらえきれず、喘いだ。

「ん、ふ、……あっ……だめ、だっ……イくっ」

それまで気遣ってくれていた哉也が、切羽詰まったように吐息を荒らげ、理人のすべてを奪いつくしたいと衝動的にぶつけてくる。

「一ノ瀬、おまえが、好きだ……っ」

好きだ、好きだ……そう言いながら、耳朶や頬や目尻にキスをして、哉也が荒々しく腰を動かす。

「俺もっ……すき、……っ」

そう告げた瞬間、ビクビクン、と全身が戦慄《わなな》き、勢いよく甘い飛沫《ひまつ》があがった。

「……ん、……ああ！」

目の前が真っ白にふやける。

痙攣《けいれん》するように臀部《でんぶ》が震え、理人はついに想いの丈をすべて吐精した。

……と同時に、中で哉也の熱が爆《は》ぜ、どくりと鼓動を打ったのがわかった。

薄い膜越しにじわりと熱いものが溢れる。互いの荒々しい呼吸が交互に入り乱れて、今しがたしていた行為を生々しく伝えてくる。

ああ、哉也に抱かれて一緒にのぼりつめたのだ、と実感したら、胸が熱くて泣けてしまいそうになる。

しばらく、そのまま手折られた花のようにくたりとして動けないままでいると、哉也の身体からも力が抜けて重みが覆いかぶさってくる。

二人は濡れた唇を啄むように互いにキスをしあい、汗ばんだ背中を抱きしめた。

「やっと……おまえを俺のものにできた」

哉也のその言葉は、長い時間をかけてきた実感が伴っているように聞こえた。

ずっと想っていてくれた彼の気持ちが嬉しくて、涙が溢れてくる。

「もう、おまえに悲しい涙は流させないよ。これからは俺を想って幸せなんだって泣かせたい」

哉也はそう言い、理人の目尻をやさしく拭う。

「……もうとっくに、泣かされてるだろ？」

潤んだ瞳をますます滲ませて理人が言うと、哉也のやさしい眼差しが注がれてくる。

「じゃあ、これからはもっと……」

哉也はそう言い、理人の唇に、慈しむようにキスをした。
愛しい人の腕に包まれ、理人は至福のひとときに目を瞑《つむ》る。

やっとひとつに重なれた。
愛しい人との過去と今。
ばらばらだった点と点ではなく、ひとつの線となって――
これからまた二人の新しい物語がはじまる。

Time after time

恋人の部屋で過ごした翌日の朝は、なんともいえない幸福感で胸がいっぱいになる。激しく求められて身体は重たかったが、あたたかい肌を寄せあっているのが心地よかったし、自分よりも先に眠ってしまった恋人の寝顔を見ているのもまたよかった。

あれから二人は離れていた十年分を埋めるかのように、とにかく時間が合えば一緒に過ごした。黄金色に染まりはじめた神宮外苑《じんぐうがいえん》の銀杏並木の中、二人で肩を並べて歩くだけでも心は満たされていた。

もしもサンタクロースが存在するのなら、どれほど慌ててプレゼントをもってきてくれたのだろう。

こんな幸せを感じたことはない。

ずっとこうして傍にいたい。

もっと知らない顔を見てみたい。

今まで以上に理人はそう思うようになった。

十年間ずっと忘れられないで想っていた時間は長かったけれど、高校時代に二人が過ごした日々は短く、まして大人になってからの互いのことはよく知らない。

たとえば、コーヒーはブラックが好きだけれど、疲れた日は少しだけ砂糖を加える、とか、右手に腕時計を嵌めている、とか。寝るときの体勢が必ず左向き、とか。

些細な発見があるたびに、愛おしさが募っていく。

傍にいるだけで気持ちが満たされるのはたしかだが、互いを知るたびに愛し合いたい欲求もどんどん増していくばかりだ。

週末はずっと一緒にいて、時間が許す限り、必ず身体を重ねている。

互いに仕事が忙しいので、店が終わったあとに持ち帰りされ、そのまま朝まで哉也のマンションに泊まるというパターンが多くなった。

肌を合わせるたびに、よりいっそう愛しさは増すばかりで、抱かれている間にも、彼の愛し方の癖を記憶しながら、次はどんな触れ方をしてくれるのかドキドキしたし、もっと気持ちよくなってほしくて理人なりに慎ましい努力を重ねたりもした。

時々これは夢のつづきなんじゃないかと思って、目を瞑るのが怖くなるときがある。

そう思うほど幸せな日々がつづいていた。

かれこれ一ヶ月。

二人は相変わらず仲良く過ごしているが、最近は哉也の様子がおかしい。

話を聞くところによると、どうやら仕事でひと悶着あったようだ。

こぢんまりと営業している理人の店ですら、たまに客からクレームがあったり、従業員が発注ミスしてしまったり、仕事をしていれば、なにかしらトラブルはつきものだ。

大企業の顔となる広報部のプロジェクトチームを動かしているという哉也が抱えるものは、きっと理人が想像している以上に大きいのだろうなと思う。

(何か俺にできることがあれば……いいんだけどな)

朝食の片づけをしながら、理人は愛しい人の方に視線を向けた。

哉也は出勤前にコーヒーを必ず一杯飲む。今日もソファに腰をおろしてしばらくぼうっとしながらコーヒーを飲んだあと、ワイシャツにネクタイを通しはじめた。

相変わらずスーツ姿が様になる男だ。理人が同じように着てもこうはならないだろう。

ネクタイを締めようとしている哉也の仕草をしばらく眺めていたら、急にばちっと視線が合い、ドキッとした。

「そんな顔しなくても、俺は、おまえが傍にいてくれるだけでいいよ」

「え?」

「なんか我が子を見るような心配そうな顔してたからさ」

哉也は時々人の心を読むようなことを言って理人を驚かせる。

「何も言ってないのにな」

「いつも顔に出るからわかりやすいよ」

自覚症状がないわけじゃないけれど、きっと普段からダダ漏れしてるんだろうな、と思うと、恥ずかしくなってきてしまった。

恋人同士になったのだから、ありのままの自分で接しようと思う反面、高校時代のことを知る哉也に、実は甘えん坊なところがあるというのを知られるのは……なんだか妙にくすぐったい。

そして、哉也の知らなかった一面に触れれば、不思議な気分になる。それらはすべて、慣れたらなんとも思わなくなるものだろうか。

「好きな人のことなら心配もするよ」

ふてくされたように言うと、哉也は口の端をあげ、気をよくしたついでといわんばかりにこちらにやってくる。身構える間もなく後ろから抱きしめられ、こめかみに熱い吐息がかかった。

「嬉しいよ。サンキュ。まあ最近はずっと残業つづきだし、疲れてるのは否定しない」

……それなら、昨晩あんなにしなければよかったのに、と理人は内心思ったのだが、また顔に出てしまいそうだったからぐっと飲みこんだ。

「なら、いつものマッサージしてあげようか？」

「……ああ。それって……手だけ限定？」

意味深な言葉を囁かれ、理人は条件反射で顔を赤くした。

「あ、想像した」

「な、何言ってんの。からかうんなら、もう心配しない」

まったく、顔に出さないようにしているというのに、意味のない我慢だった。

「はいはい。悪かったよ」

おどける哉也を尻目に、理人は小さくため息をつく。

もしかしたら哉也は心配させないようにわざとじゃれついたのかもしれない。

恋人になったのだから、なんでも言いあおうと決めたのだが、いまひとつ最後の壁が取り払われていない。

親しき仲にも礼儀ありとはいうものの、腹の中にためこみやすい理人の性格は生まれついたものだからそうそう変えられないし、哉也もまだ遠慮している気がする。

「じゃあ、そろそろ出るな。行ってきます」

「うん。行ってらっしゃい」

最後まで言い終わらないうちに、あたたかい温もりが唇に触れた。

出かける前にキスをするとか……新婚みたいなやりとりに、顔が緩みそうになる。

哉也を見送ったあと、理人は合鍵としてもたされたカードキーを眺め、ふっとため息をついた。

時計を目にし、次に自分の店のことを考える。開店準備は従業員の二人に任せてあるので、今日の理人は重役出勤だ。

この間から色々メニューを考案しているのだが、リラクゼーションメニューをもう少し積極的に取り入れてもいいかもしれない、と思っていた。哉也の様子を見るたび、ますますそう思う。

日頃、客の手に触れていると、その人がだいたいどんな生活をしているのかがわかってくる。見た目からはうかがいしれない感情が伝わってくるのだ。

理人は昔から人の目を見るのがあまり好きではない。相手から視線を向けられてしまうと、自分の心の中を見透かされてしまうのではないか、と怯えてしまうのだ。後ろめたい性癖があるからかもしれない。その代わり、理人は客の手から様々なことを感じとった。

疲れている、楽しんでいる、悲しんでいる……。

店に来る客は千差万別だ。楽しい気分でネイルを塗ってもらいたい人ばかりではない。中にはストレス発散のために普段つけない色やデザインを希望する人もいる。たとえば、血のようなダークチェリー色だったり、蛍光色を使ったアレンジだったり。

手を見れば人の感情が伝わってくるし、選ぶ色やデザインでその人の置かれている環境がわかるのだ。

もっとケアをしてあげた方がいいと思うような客の手を見て、不意に哉也のことが思い浮かぶこともあった。今の哉也は明らかに疲れている。自分にできることといったら、癒しの環境を作ってあげることとぐらいしかない。

店に顔を出すと、未知と香織の二人が店内のディスプレイを変えてくれているところだった。

「あ、オーナー、おはようございます」

未知が理人に気づいて、元気に挨拶してくる。

「うん。おはよう」

「クリスマスツリーはどこにします？」

香織に聞かれて、理人はうーんと店内を見渡した。

「そうだな……やっぱり通路から見えた方がいいから、入り口の脇かな」

「わかりました」

これから店内を来月のクリスマスに向けて改装する予定だ。既にクリスマス付近の予約がはじまっていて、新作の見本を見に来る客も増えている。年末年始は着物に合わせたお正月用のネイルアートを希望する客が増えるため、年の瀬はますます忙しくなるだろう。

今はその中休みといったところ。

一人来てはまた一人帰り、といった緩やかな予約状況だった。

混雑時間を避けて交代で昼休憩をとり、次の予約までの時間にダイレクトメールの内容を考えようかとしていたところ、店の方から事務室に声がかかった。

「オーナー、お客様がお見えですので、お願いします」

まだ予約時間ではない。飛び込みの指名だろうかと思いながら店に出ると、女性客が不機嫌な表情を浮かべたまま立っていた。

未知と香織にも緊張の色が見えたので、なにか苦情があって来たのかもしれないと構え、丁重に挨拶をしようとした――のだが、理人より女性の行動の方が速かった。

唐突にケータイの画面を理人の目の前に突きつけてきたのだ。

画面に表示されているのは、今どきの電子クーポン……ではない。

恋人と思わしき二人が親密に寄り添っている姿。それも暗がりの路地裏で今にもキスしようとしている場面だった。

理人はそれをはっきりと目にした瞬間、凍りついた。

「ここに写っているのは、あなた、ですよね？」

写っていた二人は、まぎれもなく哉也と理人だ。

画面から目を離せなくなり、言葉に詰まったまま、理人は立ちすくむ。

「私たちずっと婚約については決まっていたのに、突然結婚できないって言われても納得できなくて……調べていたんです」

女性が涙を浮かべながら声を震わせる。

画像は一枚だけではないらしく、女性が画面上でフリックして、次の画像を表示させた。

二枚目、三枚目……と次々に写し出された画像は、アングルが違うだけで、すべて哉也と理人が抱きしめあっている姿のものだった。

記憶がたしかなら、たぶん最近仕事帰りに寄ったバーの路地裏でのことだったと思う。

撮影したのは女性本人なのだろうか。好んで行くような場所ではないため、つけられたのでは……という考えがよぎった。しかしこちらが問いただせば、哉也との関係を公に認めたことになってしまう。

「どうか嘘だって言ってください。そうじゃないなら、ご両親にこのことをたしかめます」

女性の切羽詰まった言葉に、理人は焦った。

婚約者がどうという話は以前にパーティー会場で知り、哉也の口から断ったのだと聞いているが、この様子だと女性の方は諦めていないということなのだろう。

感情的になった女性がどういう行動に出るかわかったものではない。

もしも哉也の両親に報告などされたら……そう考えるとゾッとした。

他の客が来店したため、未知が慌てて接客に入る。

こうしていては、従業員が困惑しているだけでなく、ほかの客に迷惑がかかってしまう。

理人はとにかく冷静に諭すことにした。

「申し訳ありませんが、ほかのお客様がいらっしゃいますので、こちらで詳しいお話をお聞かせいただいてよろしいでしょうか」

「ええ、それは私のセリフだわ。きちんと納得するように話を聞かせてください」

女性には事務所の中に入ってもらい、話し声が漏れないように扉を閉める。

それから彼女を椅子に座らせ、なるべく刺激しないように低姿勢で説明した。

「……このたびは、僕が至らないばかりに誤解させてしまって申し訳ありません。見てしまわれたのは、僕たちの一種の冗談というか、酔った勢いでバカなことをしてしまって……男っていうのはどうしていつまでも子どものような真似をするのでしょうね。みっともなくておかしいですよね。でも、ご心配なさらないでください。僕たちはそういう不埒《ふらち》な関係じゃありませんから」

事実ではないが、今は嘘でも否定しておくしかない。

二人の関係を堂々と告げるわけにはいかないのだから。

「ほんとうですよね？　私信じていいんですよね？」

女性が涙を浮かべて訴えてくる。

理人は罪悪感を抱きながらも、「ええ」と即座に返事をした。

女性は理人の様子をうかがいつつ、半信半疑といった視線を向けてくる。

「親しい間柄なのでしたら、何か彼からほかに聞いていませんか？」

「いえ。実を言うと、僕たちは十年ぶりに会ったんですよ。だから、近況で盛り上がりすぎたくらいで、とくには」

「そうですか……」

女性は完全には納得しきっていない様子だ。とりあえず、十年ぶりに会ったというのは嘘ではない。

渋々ながら納得した彼女が帰り、やはり女性を泣かせるのは後味が悪いものだ……と理人はため息をついた。

すると、未知がこっそり傍にやってきて、茶化すように言った。

「オーナー、こういうお仕事してるんですから、女の子は泣かせちゃだめですよ？」

どうやら未知は、女性が理人の婚約者なのではないかと思ったらしい。誤解してもらえていた方が今は助かる。

「そうだね。君の言うとおりだ」

理人は鷹揚《おうよう》に話を流すが、実は手まで震えるほど動揺しきっていた。それほど他人が写した画像にショックを受けたのだ。

ひとりで事務室に戻ってから、これから先の将来のことを考えた。二人の想いが純粋なものであっても、世間的には受け入れられがたいことだ。哉也はもともとノンケだったのだから、理人さえいなければ、茨の道に進むこともなかったはずだった。

想いを通わせあえたことが幸せで、ぬるま湯に浸《つ》かっていて、大事なことを忘れるところだった。

哉也には将来がある。理人が叶えられなかった未来を拓《ひら》く力がある。このまま彼の重荷になるだけでいいのだろうか。未成年だからこそ諦めたことがあったように、大人だからこそ弁えなくてはならないこともあるはずだ。

閉店間際に哉也から電話が入った。動揺してしまいそうだったので、すぐには出られなかった。とりあえずシャッターを閉めてからケータイをチェックしてみると、留守録は無言のまま切れており、代わりに一通のメールが入っていた。

【明日から一週間、海外出張になったから、戻ったら休日に会いたい】

理人は文面を目で追いながら、ふっとため息をつく。

以前みたいに「会えないか?」と問う文章から、「会いたい」とか「会おう」という積極的な文に変わった。些細なことが二人の間で変わりつつある。

十年越しの想いが叶って、やっとこれからはじまるのだと思っていた。けれど、そう簡単にはいかないのかもしれない。このままでは、十年前に一時的な想いの昂ぶりのまま相手を求め、傷つけあった日となんら変わりのない未来になってしまう。

今日あったことを哉也に報告すべきかどうか、理人は頭を悩ませるが、結局その日はメールすら返せなかった。


哉也が海外出張に発ってから、まもなく一週間が経過するという頃になっても、理人の気分は冴《さ》えないままだった。

哉也と想いを通わせあえた喜びで浮かれていて、周りが見えていなかったことを猛烈に反省した。

そして、哉也の婚約者だという女性の剣幕を思うと、何をするにも気が滅入った。

脳裏をよぎるのは中学を卒業したときのことだった。教育係の男性との関係が両親に知られ、穢れたものを見るような視線を向けられた過去が蘇る。

女性がすんなりと納得してくれるとは思えない。あの様子だと、哉也にかけあうつもりなのだろう。

哉也はどう説明するのだろうか。彼の家は素封家だ。婚約者というからには必ず家同士の繋がりがあるはずだ。あの画像は彼女が撮ったものか、それとも誰かに撮らせたものなのか。

今頃、哉也の両親の耳に入ってしまっているのではないだろうか。哉也の両親がこの店にやってきたらどうすればいいのだろう。

学生のときとは違う、大人の付き合いなのだから、哉也だってそのあたりはうまく立ち回るだろうけれど、どうしても不安が拭いきれない。

一人で考えこんでいたって仕方ない。仕事に集中しなければ……と活を入れ直し、理人が事務室から店の方に顔を出すと、予約状況を確認していた香織が真っ青な顔をしている。彼女の目の前にはパソコンの画面が開かれていた。

「どうしたの？　困ったことでもあった？」

「え、ええ。あの、ちょっと……」

返事をする香織の様子がおかしい。なんだか歯切れが悪い感じだ。

不思議に思ってパソコンの画面をのぞきこんでみる。

表示されていたのは予約メールの受信一覧だった。

「ここのＵＲＬをクリックしたら……」

動揺している香織の手元が震え、マウスの左クリックを押してしまう。次に開かれたのは画像だった。

理人はそれを見た瞬間、絶句した。

そこにあった画像が、件《くだん》の理人と哉也が抱きあってキスをしていたものだったからだ。

「……これ」

理人の脳裏には婚約者だといっていた女性のことが浮かぶ。あのときにケータイで見せられたものとはアングルが違うが、服装からして同じ日に撮影したものだ。

そればかりか、今見ているものの方がずっと分が悪い。互いが欲して求めている、ごまかしようのない表情なのだから。

「……オーナー、これは……いたずら……ですよね？」

香織がおそるおそる問いかけてくる。

信じたくないといったふうに瞳を揺らしていた。

すぐにいたずらだと答えて安心させてやるのがオーナーとしての責任だろう。そして女性に対して返事をしたように「悪ふざけがすぎた」と言えば、それまでのはずだ。

けれど、焦っていた理人はすぐに言葉が出てこなかった。画像の下に書かれていた文章にはＳＮＳに掲載予定……と記載され、矢印の先には有名な大手ＳＮＳサイトのＵＲＬがあった。

まさか、この画像がすでに載せられているのか？

不安に駆られてクリックしたところ、ユーザー該当ナシという文が出てきて、ホッと胸を撫で下ろす。いやな汗がどっと流れた。

「……誰が、こんないたずらを……」

そう言葉にするだけで精一杯だ。激しい焦燥に駆られ、いても立ってもいられなくなる。心臓の音は不穏なリズムを刻み、じっとりと手にも汗をかいていた。

理人にはすぐにわかった。この間女性がやってきたのは確認ではない。理人に対する警告だったのだろう。

隣にいる香織からは動揺だけでなく、穢れたものを見るような視線が向けられているのがわかる。

怯え、侮蔑、失望といった感情がそこには見えた。

これまでの信頼関係があっけなく崩れていく音が聞こえた気がした。

今、理人に向けられている視線は、かつて経験したことのあるものだ。そう、実の両親から向けられたものと同じ軽蔑の視線。

ケータイの小さな画像ではない。パソコンの大きな画面に映されたそれはもう、この間のようにごまかしきれない。従業員をずっと騙《だま》していたのだという罪悪感の方が大きかった。

「……ごめん。妙なものを見せてしまったね。あとは僕がやっておくから、先にあがっていいよ」

マウスをもった理人と手が触れあいそうになった瞬間、香織は慌てて振り払った。バチンと指先が弾かれて、香織がいたたまれないような顔をする。

「すみません。じゃあ……私は……お先に失礼します」

香織は逃げるようにその場を去り、事務室の隣にある更衣室に戻ったかと思いきや、ものの数分もしないうちに店から出ていった。

ひとり取り残された店内で、理人はため息をついた。

ショックだっただろうと思う。

香織は未知とは違って、理人に好意を寄せていたようだったから尚更だろう。

もう少しうまく立ち回ればよかったものを……と、理人は大人になりきれていない自分を責める。

後悔先に立たずとはこのことだ。明日、香織は普通どおりに来てくれるだろうか。

理人はひとりになってから、弛緩《しかん》しきったように事務室の椅子に腰をおろしたっきり動けなくなった。

社会的地位というものについて改めて考えさせられてしまった。

腫れものに触るように他人から見下されるように扱われる日常を、哉也に味わわせてはいけない。

彼はまだ向こう側に戻れる人間だ。自分さえ傍にいなければ……。

ほんの少しの間、夢を見ていただけだ。今ならまだ間に合う。

理人はパソコンの画面を消して、ディスプレイをパタンと閉じた。

閉店作業を終えてシャッターを閉めたあと、静寂な店内にけたたましく着信音が鳴り響いた。

人付き合いがほとんどない理人のケータイにかけてくるのは店の関係者や取引先がほとんどで、そうでなければ……ひとりしかいない。

ディスプレイを見ると、予想したとおり哉也からだった。

おそらく出張から帰ったのだろう。コール音が鳴りつづけるが、理人は表示されている名前を見つめたまま躊躇する。

きっとこの間までの自分なら、一週間ぶりに哉也の声が聴けることや、彼の顔が見られることを喜び、ペットがご主人様の帰りを待ちわびるかの如《ごと》く、胸を弾ませていたことだろう。

だが、今はとても出る気になれなかった。

画面は留守メッセージを録音する表示に切り替わった。だがすぐに切れて二回目の着信音が鳴りはじめる。

おそらくこちらの仕事が終わったことを見計らってかけてきている。ケータイが鳴っているのに理人が気づいていないのかもしれない、と思っているのだろう。

理人はケータイをむりやりショルダーバックに仕舞って、店の外に出た。

外は今にも雨が降り出しそうだった。

風が早く流れ、雲がちぎれていく間に三日月がちらちらと見える。

だいぶ冷え込むようになってきた夜気が、むき出しになった襟から入ってくると肌寒く感じる。

理人は身を縮こませてポケットに手を突っ込みながら帰路につく。

アパートに到着して無造作にテーブルに鍵を置く。さっさと風呂に入って寝ようかと思ったが、ショルダーバックに仕舞ったままのケータイの存在がどうしても気にかかってしまった。

メールの受信が二件入っていた。

一件目は【電話ください】と一言だけ。

二件目は【明日、東京に戻るから会いたい】という内容。

理人は風呂に駆けこむ気も失せて床にぺたりと座りこみ、ベッドに寄りかかりながらぼんやりと天井を仰いだ。

目を瞑れば、浮かんでくるのは哉也と新たに過ごした日々。

怒ったり、笑ったり、照れたり、泣いたり……一緒にいて、幸せだったこと。彼を愛おしいと想う気持ち。初めて結ばれてから知った、満ち足りた感情。

こんな気持ちになるのは最初で最後かもしれない。本気でそう思う。だって十年間ずっと忘れられなかったのだから。これ以上好きになれる人が現れることなんてきっとない。もしもあったとしても、もう何十年も先かもしれない。

これからまた忘れるのに何年かかるのか、それを考えると絶望する。

自分に備わっているものが人が羨むような容姿ではなく、忘れるという能力だったらよかったのに、とか、非現実的で馬鹿なことを本気で望みたくなった。

社会人になった今だからこそ、自分の置かれている環境がどれほど大切なのか理人にはよくわかっているつもりだ。

親のすねをかじっていた未成年のときと今は違う。責任のある大人だ。社会的制裁を受ける立場にある。

まして、家を出てひとりになった理人と、大企業のＣＥＯを親にもち、跡を継ぐことを決めている哉也とでは背負うものが違いすぎる。

自分の存在が哉也にとって足を引っ張るものでしかないなら、やはり離れるしかない。彼のことを想うなら身を引くべきだろう。

理人はメールの作成画面を出したまま、しばらくじっと白いディスプレイを眺めていたが、意を決して文を打ちはじめた。

画面を何度も押して、文章を消して、そうしているうちに涙が浮かんできそうになる。

【……俺たち、やっぱり友達のままでいよう】

卑怯だと思われても構わない。制裁を受け、傷つくのは自分だけでいい。

【……なんていうか、長谷川の気持ちが、重たいんだ。友達でいられないなら別れよう】

胸がちりちりと焼けるように痛い。思ってもいないことを入力しながら涙が溢れてくる。

重たいことなんかあるか。別れたいなんてもちろん本心じゃない。

再会できて想いが通じてどれほど嬉しかったか、幸せだったか……愛おしかったか。

もう十分すぎるほど満たされた。だから今度こそ本気で哉也の幸せを願いたいのだ。

理人は涙で画面が滲んでしまう前に送信を押し、すぐにケータイをテーブルの上に置いた。

しばらくして【とにかく会いに行く】というメールが入っていたが、理人は返さなかった。

きっと逃げても追いかけてくる。哉也なら店に来るかもしれない。そのときはそのときだ。

明日はもっと嘘をつかなくてはならなくなるだろう。覚悟を決めなくてはならない。

理人はひとりでアパートにこもっているのがいたたまれなくなり、久しぶりにバーに向かった。

普段そんなに酒が飲める方ではなく、すぐに顔が赤くなってふらふらしてしまうし、二日酔いに悩まされるのがオチだと心得ているが、今夜はとにかく飲みたい気分だったのだ。

「おい、あんた」

入ったバーで浴びるように飲んでいたら隣に誰かがやってきた。否、もうずっと前から隣に座っていたかもしれないが、理人には周りなど見えていなかった。

声がした方を振り向いたところ、ぼうっと滲んだ視界の中に端正な顔をした男が映った。

「ずっとひとりだよな？　これから場所移して付き合わないか？」

男は理人の耳に唇を近づけ、意味ありげに囁きかけてきた。

太腿《ふともも》に手を置かれ、そわりとする。吐き気がするほどきつい香水の匂いに、一瞬にして我に返る。

どうやらナンパされているらしい。

「……すみません。僕、『彼女』を待ってるんです」

あたりさわりのないことを言ったら、男はますます絡んできた。

「もっとうまい断り文句ないの？　あんたが来てから、もう二時間だぜ。そんな浮かない顔して、デートの約束とは思えない飲みっぷりだよなあ」

マイノリティーの人間は自分が特異だと思っているからか、妙に鼻が利くところがある。おそらく同族の匂いがわかるのだろう。

「俺、巧いぜ。あんたの『彼氏』よりよくしてやれるから、行こうよ」

あいにくセックスの巧い下手がわかるほど理人はすれていない。過去に教育係との未遂はあったものの、きちんと経験したのは哉也が初めてだ。

それにセックスだけが目的で人と慣れあう気はないし、そんなことをするなら自慰行為に耽っていた方が数倍マシだ。

ひとりでぼんやりしたかったのに、テリトリーに入ってこられて鬱陶《うっとう》しいし、苛々する。けれど、ここで事を荒立てては面倒なので、理人はさらっと言い返すことにした。

「無理だね。あなたじゃきっと勃たないよ」

男の表情がみるみるうちに強張る。

プライドを傷つけられた苛立ちが浮かんで見えた。

「……言うね、お兄ちゃん」

「本当のことだよ」

強がりだと思われたのか、面白がっていた男だが、理人の白けた表情を見て、目の色を変えた。

「……いい面《ツラ》もってるからって、あんまいきがってんなよ」

理人の一言が相当癪《しゃく》だったのだろう。甘ったるく声をかけてきた男と同一人物とは思えない形相を浮かべ、みぞおちに拳を突きつけてきた。

腹に鈍い痛みが走る。

だが、とにかく立ち去ってくれてホッとした。

好きでこの容姿に生まれてきたわけじゃない。見た目で誤解されることも今にはじまったことではない。男がどうだろうと興味はないし、殴って満足するならすればいい。

理人にとっては時間を無駄にされたことが何より不愉快だった。

酔いたい気分だったからバーに来たのに、水を差してくれたものだ、とため息をつく。

興ざめした理人は席を立って会計を済ませると、足早に帰路へとついた。

どれほど酔いたくても、どれほど忘れたくても、時間さえあれば浮かんでくる愛おしい存在は……どうしたら記憶から消えてくれるだろう。

風呂に入り、瞼の裏に浮かんでくる甘やかなひとときを打ち消すように、熱いシャワーを浴びる。でもそれは逆効果で、彼の肌の温もりが恋しくなってくる。

十年ずっと会えなかった。

この先もずっと会えないはずだったのだ。

ほんのひとときでも幸せだった。

泡沫《うたかた》の恋を成就できただけでよかった。

これ以上望んだら……贅沢《ぜいたく》だ。

ひょっとしたら、この気持ちはもはや恋ではなく、ある種の執着なのかもしれない。習慣のように彼を想いつづけていたから、自己催眠に陥っていただけかもしれない。

そうだとしたら、断ち切るなら今ではないだろうか。

眠りにつくまで、理人はあれこれ納得する理由を探しては、むりやり自分に言い聞かせた。


翌日は案の定、二日酔いの頭痛がひどかった。

「……っ」

頭を振っただけで目の奥がズキズキし、たまらず呻《うめ》く。

酔うほど飲んではいないし、男に水を差されて目が覚めたぐらいなのに、これだから参る。男のくせに繊細すぎるこの身体が恨めしい。

哉也の性格上あのまま黙っているはずがないと思うと、店を休んでしまいたい気分だったが、客や従業員のことを考えれば開けないわけにはいかない。今は主《あるじ》ひとりだけの城ではないのだ。

重たい身体をベッドからなんとか這い出させて準備をしたまではいいが、そういえば……と香織のことを思い浮かべた。

最初の砦《とりで》は彼女だろう。昨晩はとくに弁明もしないままだったし、明らかに香織は狼狽えていた。

今日、彼女は普通どおりに出勤してくれるだろうか。

店に行くと、懸念していたとおりのことが起きていた。香織が、具合が悪いから休みたいという連絡をよこしたらしい。未知が伝達してくれた。

やっぱり……ショックだったよな……と、ため息をつく。

予約客には詫《わ》びを入れて日程をずらしてもらい、いくらか予定を調節すれば、理人と未知の二人でまわせるだろう。今日はそれでいいかもしれないが、このまま辞めると言われたらどうしようか。

理人の本性を知って、偏見をもつなという方が難しい。気持ち悪がる方が普通の感覚だろう。それに、たとえ悪意があって隠していたわけではなくても、彼女にしてみれば騙されていたような気持ちになっているかもしれない。

参ったな、と頭を悩ませる。

香織が辞めたら、誰かを雇わなくてはいけない。これからクリスマスシーズンでかきいれ時になるのに、腕のいい彼女が抜けるのは辛いものがある。

「オーナー、大丈夫ですよ。私二人分フォローしますから、がんばりましょう。あ、今月のお給料弾んでくださいね！」

未知が理人の沈んでいる様子を察して声をかけてきた。いつも明るい彼女にほんのり気分が救われる。

それと同時に、香織と同じように未知も理人の事情を知ったら、去ってしまうだろうか、と一抹の不安を抱いた。

小さな店とはいえ、一年前にオープンしたばかりのときとは客の数も桁が違うのだから、今後のことを考えておかないといけないだろう。

もういっそ……個人だけでやるべきだろうか、とまで考えてしまった。

しかし、人手が足りないときに限って店は混雑するものらしい。昼休憩もとったのかどうかわからなくなるほど忙しく、とてもひとりでこなせる仕事量ではなかった。

悩む暇を与えられないのはかえってよかったかもしれないが、なんだか自分が情けなくて仕方なかった。

閉店時刻三十分前、理人は腕時計に目をとめ、未知に声をかけた。

「木島さん、もうあがっていいよ」

「え？　いいんですか。まだ在庫チェック残ってますし、手伝いますよ」

「大丈夫。あとは僕ひとりでやれるから。今日は君に頼りっきりで二人分働いてもらったし、もうずいぶん助かったよ。ありがとう」

「オーナーがそう言ってくださるなら、お言葉に甘えてお先に失礼します」

「うん。お疲れ様でした。気をつけて」

「はーい。お疲れ様でした」

遠慮しすぎないところが未知のよいところだ。彼女には悪いが正直にひとりになりたいから、とは言えない。

未知が帰ってからは飛び込みの客がひとり来店し、デザインに没頭するうちに閉店の時間が迫っていた。

　仕上げのケアをしたら終わりというところで、店の中にもうひとり入ってきた。ひとまず挨拶をしようと客の顔を見た瞬間、理人の表情はたちまち強張った。

　客……ではなく、哉也だったからだ。

　集中していて、すっかり頭から離れていたが、別れようとメールをしたあとなのだった。

　拒絶のオーラが出ていたのかもしれない。哉也が遠慮がちに尋ねてくる。

「すみません。まだ受付は大丈夫ですか？」

　まだ客の会計も終わっていないこの状況では、哉也だけ不躾に追い返すわけにはいかないだろう。

　理人はぎこちなくもどうにか笑顔をとりつくろった。

「もちろんです。中へどうぞ」

　担当していた客に少々お待ちくださいと声をかけてから、哉也を案内する。

　背中に突き刺さる視線が痛い。

　なるべく目を合わせないようにするだけで精一杯だ。

「では、お客様、こちらでお待ちいただけますか？」

　理人は儀礼的に問いかけた。

　とりあえず今は店主と客という立場を保つしかない。

「わかりました」

哉也も素直に頷くだけだった。

彼の表情には、この間一緒に過ごしたときの柔らかな印象はない。昨日のメールの件を怒っているに違いない。

一方的にあんなメールを送られたら誰だって納得できないだろう。もしも反対の立場だったら、理人の場合はショックで打ちのめされてしばらく引きこもっていたかもしれない。それほどひどいことをしたのだ。覚悟くらいはできている。

理人は客の会計を済ませて見送りをしたあと、哉也の傍に行く前に、昨晩自分に必死に言い聞かせたことをぐるぐると考えた。

なんて言えばいいだろう？

こんな俺に合わせる必要なんてないよ。

今ならまだ間に合う。

十年前、仲違いになったままじゃなく、再会して想いを伝えあえただけで満足しているんだ。

短い間だったけれど、ほんとうに幸せだった。

仕事をがんばっている哉也が好きだから、これからも陰ながら応援しているよ。

大切だと思うからこそ、おまえには幸せになってほしいんだ。

どう切り出そうか悩みながら緊張に身を包んで哉也のところに戻ると、こちらから切り出すより早く、ケータイの画面を見せられた。

「これが原因か？」

理人の表情が一気に強張る。

画像は、例の二人が抱き合ってキスしているものだった。

理人が言葉に詰まっていると、哉也が申し訳なさそうに項垂《うなだ》れた。

「いやな思いさせてごめん。俺がちゃんと説明しておかなかったから、またおまえを追いつめた」

肩を落とす哉也を見て、胸に苦いものがこみ上げてくる。

「違うよ。長谷川のせいじゃない。俺のせいで……迷惑をかけたんだから」

悪ぶって、長谷川の気持ちが重たい、とメールを送ったように、今日も哉也を追い返すつもりでいたのだが、バレてしまっているのなら無意味に傷つける必要はない。

それにやっぱり好きな人を前にして、これ以上ひどい言葉をぶつけるなんて無理だ。そうでなくても、十年前からずっと哉也に対しては負い目を感じてきたのだから。

「……だから、身を引こうと思ってあんなこと言ったんだろ？」

哉也にはお見通しだったようだ。

理人は自分の不甲斐なさに頷くこともできないまま黙りこんだ。

「それは……」

「本心ならそう言えばいい。そうじゃないなら、もっと俺が納得できる説明をしろよ」

哉也がため息をつき、二人の間に気まずい沈黙が流れる。

本心だと言ってしまえば終わらせるという意味だろうか。そうしなければならないからあんなメールを送ったのに、なんて矛盾したことをしているのだろう。

この期に及んで失いたくないと思うなんて。

「ごめん……あんなメール送って。だけど、考えるきっかけになったよ。長谷川と俺は置かれてる環境が違うんだって。だから……別れるべきなんだって。これは……警告だと思わないとだめなんだと思う。もう俺たちはいい大人なんだ。それを忘れていたよ」

理人が必死に訴えかけるが、哉也は聞き入れまいと首を振る。

「いや、違うだろう。一ノ瀬……俺とおまえは同じだ。一緒にいたいと思ったから、互いの気持ちを伝えあったんだろ？　バカみたいに一途貫いて、十年もかけて……やっと繋がったんじゃないか。大人だからこそ叶えられたことだ」

「でもっ」

壊れたら意味がない。ますます辛くなるだけだ……そう言おうとする理人をさえぎって、哉也はつづけた。

「いいか？　一ノ瀬。俺も説明不足だったかもしれないが、おまえは先走りすぎるよ。婚約を白紙にしたいって彼女に伝えたとき、俺は両親にちゃんとカミングアウトしているんだ」

「え？」

理人は驚いて哉也を見る。

まさか哉也が両親に伝えているなんて、思ってもみなかった。

「それをきっと彼女が逆手にとって、おまえに嫌がらせしたんだろう。脅しに応じることなんてないし、気に病むことなんてないんだ」

哉也はあくまで冷静に諭そうとする。けれど理人の胸のもやもやは消えていかない。

「でも……俺、冷静に考えたんだ。跡継ぎを放棄して家を出てきた俺と、期待に応えようと真摯に向き合ってる長谷川とでは、やっぱりどう考えても置かれてる環境が違う。俺は何かあれば逃げようとする。卑怯な人間だよ？　だから……相応《ふさわ》しくないんだ」

「卑怯だっていうなら、俺も本当のこと言うよ。過去に、おまえが欲しくて……手に入らなくて……おまえを想いながら、別の人を抱いたことがある」

それを聞いてショックを受けるなんておこがましいかもしれないが、理人は何も言えなくなってしまった。

哉也は切なげに眉尻を下げて、理人の頬にそっと手を伸ばしてくる。

「俺だって男だ。この十年に何もなかったなんて言えない。人肌が恋しいときだってあるし、慰めてほしいときだってあった。けど、俺がいつも想像するのは……好きで、好きで……たまらなかったおまえのことだけ。心から抱きたい、愛したいって思ったのはおまえだけだよ」

「そんなことまで、わざわざ言わないでいいよ」

理人はたまらず声を荒らげた。

哉也が誰かを抱いているところなんて想像もしたくなかった。

「逃げないって約束したの、忘れたのか？」

「あれは……あのときのことでしょ」

「今だってそうだよ。おまえにはもう何も包み隠さずに言っておきたいんだ。ちょっとした誤解で十年もすれ違ってきたんだから」

「……っ」

そう言われると、反論する言葉がない。

「なあ、一ノ瀬。俺のためだとか言って、偽善者ぶるのはやめろよ。そうやって傷つくのはおまえかもしれないが、俺だっておまえを傷つけてまでまっとうな人間をよそおう気はない。おまえが好きだっていう、この大事な気持ちまで否定したくない。たとえ、周りが認めない恋愛でも、俺からおまえを手放すことはしないよ。おまえが逃げるって言っても追いかける。もう離さないって決めたんだ。おまえはもう逃げも隠れもしないで、俺に黙って捕まればいい」

哉也のひとつひとつの言葉が、理人の胸に降り積もっていく。

熱く、あたたかく、心の深いところまでじんわりと広がっていくようだった。

「長谷川……でも……」

「惑わされるなよ……周りのことがどうとかじゃなく、俺自身を見ていてほしい。二人で叶えられることを考えていかないか」

「本当にいいの……こんな俺で？　後悔しても遅いよ？」

「後悔っていうなら、この手を……おまえの手を自分から離すことだ。そうじゃないか？」

哉也の嚙みしめるような言葉に、胸の奥がじんとよじれる。

彼の言うとおりだ。返す言葉なんてなかった。

離れてからどれほど悔いてきたか。どれほどこの手を伸ばしたかったか……触れたかったか。それはすべて、理人自身が経験してきたことだ。

「おまえは俺を信じていてほしい。俺と一緒にいることを後悔させたりしないから」

哉也がそう言い、理人の額に唇を寄せる。

昔とは違う堂々としたゆるぎない哉也を見て、理人はもう頷くほかなかった。

「そういうことも踏まえて、おまえに仕事の話をしたいんだが、いいか？　ひとつ提案をさせてくれ」

「仕事の話？」

すぐに哉也に連れていかれたパーティーのことが思い出された。二人の仲がこじれたことを振り返り、理人はつい構えてしまう。

「ああ。実は今月の末に、うちの広報部とブライダル事業部の合同企画で、大規模なブライダルフェアをやることになったんだ。会場ではブライダルの商品、たとえば衣装、ヘアメイク、ブライダルケア、ネイル……なんかも実演してもらうことになる。そこで、おまえにネイルの担当をしてもらいたい」

「俺が？」

理人は戸惑いながら問い返した。

「これはホテルのよさを知ってもらうために開催するイベントなんだ。それと同じで、ネイルのよさも知ってもらいたい」

「でも……」

「もちろん、前に勝手なことをするなって言われたことを忘れたつもりはない。けどな、俺は思うんだ。表面上のことじゃなくて、そのよさを知ってもらうことも大事なんじゃないか。人の商売に口を出す気はない。でも、おまえには……もっと自分のことを大切に考えてほしいんだ」

パーティーの日は闇雲に逃げ出したけれど、今は素直に哉也の言うことが理解できる。

小さな店だが少しずつ客が増えてきて、オーナーひとりの自己満足ではいけないのだと考えていたところだった。そう、いつまでも箱庭でぬくぬくとはしていられない。

哉也は理人との未来を考えて、逃げるのではなく、前に進むことを考えてくれている。それに、この先二人で一緒にいたいなら、独りよがりではなく、もっと互いの仕事のことだって理解することも必要だと思う。

「……わかった。通常の仕事に差し支えないように調整できるようだったら、考えてみるよ」

すんなり理人が承諾したことに、哉也はホッとしつつも嬉しそうな顔をする。そういう幸せそうな表情を見たら、なんだかもうどうしたって突き放せそうにない。

「おまえの別れようって言った結論も、その日まで保留にしてほしい」

「……え？」

哉也の意図することが見えず、理人は困惑する。

「もちろん今すぐ発言を取り消すって言ってくれたら……嬉しいんだけど、おまえのことだからあれこれ考えてるんだろうし、前におまえから言われたように、俺の気持ちだけ押しつけたってだめだってわかってる。だから、その日まで待つよ」

もうすっかり寄り添う気でいた理人は拍子抜けした、というか、なんだかきまり悪かった。

「いつもいつも……決心を揺らがされる」

理人は嫌味のつもりで哉也にぶつけたのだが、なぜか哉也は嬉しそうだった。

「俺のことをそれだけ真剣に考えてくれてるってことだろ」

「バカだな」

「どっちがバカなんだよ」

別れを覚悟したはずなのに、あれほど決心したのに。結局、哉也に丸めこまれてしまった。否、どれほど抗おうとしても、彼を好きだと思う気持ちは否定できない。それが本能的にわかっているのだ。

「……今すぐ俺の胸に飛び込んできてくれたら、たくさん慰めてやれるんだけどな。どうする？」

意味ありげな哉也の言葉をあえて無視して、理人はふいっと視線を逸らした。

「……今夜は遠慮しておく」

「相変わらず素直じゃないな。俺はただ逃げ道を用意したってだけで……おまえがその気ならいつだっていいんだ」

そう言って、哉也は笑った。

そんな彼が眩しすぎて、理人はまっすぐに哉也を見られなかった。

本当は苦しいことを苦しいと吐き出して、泣きついて甘えられたら楽なんだろう。けれど、哉也とはそういうふうに寄りかかるような恋愛はしたくなかった。流されるまま身体への慰めで済ませたくはなかった。

「手を出すなっていうなら仕方ない。いつものので癒してもらおうか」

はい、と哉也が理人の前で手のひらを広げる。

大好きな手だ。この手を見ると惚《ほ》れぼれする。力強くて安心する。

「営業時間はもうとっくに過ぎてるんだけど……いいよ。仕方ないからサービスする」

理人はわざといやそうにそう言ってやった。

哉也の気持ちが嬉しかったから、憎まれ口でも叩いてなければ、涙がこぼれてしまいそうだったのだ。

自分を守りたいばかりに、人の幸せを勝手に決めつけ、いつだって逃げ腰の自分はなんて器が小さいのだろう。

哉也は独りよがりではなく、ちゃんと二人の未来を見ていてくれたのに。

「……長谷川にも逃げ道を用意しておく。愛想つかしてやめるって言ってもいいから」

ぽつん、と理人は言った。

こんな自分がほんとうに傍にいていいのだろうか、と心の中では葛藤ばかりが溢れて止まらない。

「そんなこと絶対にないって否定してほしくて言ってるように聞こえるぞ。俺にあんまり期待させるなよ」

しんみりしないように哉也がからっとした笑い声を立てる。

たしかにそうかもしれない。とんだ誘い受けだ。かあっと頬が熱くなる。

自分からは選べない代わりに、選んでほしいなんて図々しいにもほどがある。

けれど、もしもほんとうに哉也が迷わずに一緒に生きる道を選んでくれるなら、彼の手を掴みたい。

赦されるなら、ずっとずっと手を繋いでいたい。もう二度と離れないように。


クレッシェンドホテルのブライダルフェアは、ガーデンウエディングが行われる敷地を臨時会場として開放し、さらにホテルの隣にある区立公園のイベントスペースも借りて盛大に開かれていた。

そのためか、ブライダルフェアに興味がなさげな人たちも、目新しいイベントに立ち止まったりふらっと足を運んだりしている。

一流パティシエによるデザートビュッフェや試食会をはじめ、衣装展示、試着、ヘアメイク体験、ブライダルケアの説明会、訪れた恋人たちからベストカップルを選ぶイベントや撮影会など、催しがいくつもあり、テレビ局の取材が入っているのか、至るところでカメラが回っていた。

いい夫婦の日だと言われる十一月二十二日ということもあり、ホテルは挙式披露宴の予定もたくさん入っていて忙しい時期だが、こういったイベントをタイムリーに積極的に行うのは、ホテルのよさを知ってもらいたいからだと哉也は教えてくれた。

広報課一課の主任である彼は今回のブライダルフェアの責任者で、イベントの一環であるネイル体験のスタッフに理人を抜擢《ばってき》したのも彼だという。

これから哉也と一緒に現場担当に挨拶に行くところだ。

正直、結婚式によい印象はあまりなかった。

自分がゲイだと自覚してから、普通に家庭をもつことができないと諦めているし、哉也と婚約者の件があってから尚更、自分のせいで哉也が普通の人生を歩めなくなってしまうという負い目がどうしてもあるからだ。考えないようにしても、目を逸らせない問題であるのには違いない。

今はとにかく仕事だ、と理人は気持ちを切り替えた。

控室の扉をノックすると、朝番組のニュースキャスターにいそうな爽やかな男性が出迎えてくれる。

すぐに哉也が理人を紹介してくれた。

「吉野《よしの》、一ノ瀬さんだ。これから打ち合わせ。よろしく頼むよ」

「あ、はい。ネイルアーティストの……お待ちしておりました。まずは中にどうぞ」

控室にはほかに女性が二人待機していた。

すぐに挨拶をと、男性が名刺を差し出してきた。

「僕はクレッシェンドホテル広報部の吉野と申します」

吉野はそう言い、にこにこと変わらぬ笑顔を向けてくる。人懐っこそうな雰囲気はまるで小型犬のようだ。なんとなくホテルマンというと高圧的なイメージがあったのだが、やさしそうな担当者でホッとした。

「初めまして。ネイルサロン『Le petit bonheur《ル・プティ・ボヌール》』の一ノ瀬と申します」

事前に哉也から説明されていたので、今日はちゃんと名刺をもってきていた。名刺入れから一枚とりだして吉野に渡した。

「さっそくですが、一ノ瀬さん。お仕事のことを説明させていただいてもよろしいでしょうか？」

「はい。よろしくお願いします」

理人が返事をすると、吉野が女性二人に会釈をし、こちらを振り向いた。

「その前に、お二人をご紹介いたします。こちら、松川《まつかわ》出版トレゾア編集部の宮間《みやま》さんと佐伯《さえき》さんです。今日のイベントでは、ネイルアーティストさんの取材を依頼しておりまして、打ち合わせの段階から同席していただく形にしてもよろしいでしょうか？　いくつかお話しいただいた内容を記事にさせていただきたいと思ってまして」

理人は一瞬怯《ひる》んで、隣にいる哉也をちらりと見てしまった。尋ねてはくれているが実際は水面下で話を進めていたのだろう。哉也は愛想よく微笑んでいるだけだった。

「ええ。僕の拙い話でよろしければ、ぜひ」

理人も話を合わせるべく、なるべく愛想よく応える。

「いえいえ、ご謙遜をなさらないでください。実は事前マーケティングということでサンプルを拝見しております。楽しみにしていますのでよろしくお願いしますね」

宮間は嬉しそうに声を弾ませる。いかにもキャリアウーマンといった女性だ。

挨拶もそこそこに、ではさっそく、という吉野の一声で、打ち合わせに入った。

理人は長テーブルの席の中央に座り、向かい側に吉野と哉也、奥の席に宮間と佐伯が座っている。当然ながら哉也はホテルの人間で、理人はゲストだ。

哉也の働いている様子を見たのはこれが初めてなので、なんだかドキドキする。

話の中ほどで哉也のケータイが鳴り、「あとからまた様子を見にきます」と言い残して彼は退出した。責任者なのだから一か所にじっとしていられないほど忙しいのだろう。ひとりでは心許《こころもと》ない感じはしたが、ネイルのことであれば話題に欠くことはなさそうだ。

理人はとりあえず普段サロンでお客と接するときのように肩の力を抜くことにした。

そう、自分の店の中にいると思えばいい。これはれっきとした仕事だ。あれこれ考えるのはあとにしよう。

自己暗示はいくらか効いてくれたらしい。最初は引き出されるように回答していた理人だったが、いつの間にか自分から積極的に雑誌編集長のインタビューに回答し、お勧めの新作ネイルや、爪のケアの仕方、サロンについてのPRなどの話題で盛り上がった。

「すごい。こんなにたくさんのデザインを考えていらっしゃるんですね？」

「ええ。オリジナリティーを大切にしているんです。ここでしかできないものを……といつも考えていますよ。たとえば、ネイルチップを作成して、思い出の日のものをとっておくこともできますしね」

「ステキですね。女性にとってのファッションだけでなく、大事な人との思い出づくり……宝物になりますね」

今まで対外的な営業をほとんどしてこなかった理人は、最初こそ自信がなかったけれど、自分の想いを堂々と発言させてもらえることが次第に気持ちよくなってきた。自分を認めてもらえる実感があったからかもしれない。

哉也がしたかったことがなんとなくわかった気がする。彼が協力したかったのは、ビジネス面だけではない。他人と常に距離を置いて生きてきた理人にはもう一歩新しく踏み出す勇気が、必要だったのだと思う。

打ち合わせは滞りなく一時間ほどで終わった。

このあと休憩を挟んで、実際のイベント会場へと移る予定だ。

控室から出ると、ちょうど哉也が迎えに来てくれていた。

頃合いを見計らっていたのだろう。お疲れ、と言いながら笑顔で声をかけてきた。

「無事に終わったみたいだな。打ち合わせはどうだった？」

「うん。面白かったよ。色々な話ができたし、興味をもってもらえたことが嬉しかったな。出版社の人も事前に色々調べてきてくれてるんだろうね。デザインのことも詳しくてびっくりしたよ」

あのね、あのね、と園児が親に報告するかのようにひっきりなしに喋っていたら咳《せ》きこんでしまい、哉也が唖然《あぜん》とした顔をする。

「おい、大丈夫か？　緊張しまくってたんじゃないのか」

「ちが……普段、店でもそんなに会話が多い方じゃないから、喉が渇いて……」

ケホケホと噎《む》せたままの理人に、ほら、と哉也が二つもっていたお茶を渡してくれた。

「あ、ありがとう」

「ったく……このあと、ブースでの接客も大変だと思うけど、やれそうか？」

「うん。せっかくの機会をもらったから、新しいお客さんと出逢ってみるよ」

理人が素直に喜び、意欲的な表情を見せると、哉也も嬉しそうに頬を緩ませる。かと思いきや、すぐに視線を逸らし、顔を大きな手で覆うようにしてため息をついた。

「何？」

具合でも悪くなったのか、と心配して顔をのぞきこむと、なんだか顔が真っ赤だ。

「いや、なんかおまえが……やたら可愛いから、そこのガラスにデレデレした自分の姿が映って、驚愕しただけだ」

「えっ？」

可愛い、という言葉に条件反射で頬が熱くなる。

ふと横を向いてみれば、ぴかぴかに磨かれたガラスに二人の姿が鏡のようにはっきりと映っている。哉也はそれを見て恥ずかしくなったらしい。

いつも堂々と構えているくせに、そういう些細なところを気にしている哉也がおかしくて、理人は思わず笑ってしまった。

「あのな、そこ、笑うところじゃないから」

「俺、長谷川のそういうところ好きなんだ」

理人もまた素直に言っておきながら、自分の言葉に妙に照れくさくなってくる。

「おまえな、だから、やばいだろう、今は。俺の理性を試してるのか？」

大の男が二人揃って顔を赤らめていたらおかしい。

「ご、ごめん」

とっさに理人は謝った。何に対してごめんなのかよくわからない。けれど恥ずかしい。二人で何やっているのだろう。小学生のやりとりじゃないんだから。

「謝ってほしいわけじゃない。おまえがそんなふうに言ってくれるの初めてだろ？　嬉しすぎてどうにかなりそうなだけだ」

そう言い、哉也がじれったそうに理人の右腕をぐいっと引き寄せようとする。

「ちょ、ここじゃ」

理人はさすがにぎょっとした。

「……一秒だけだ。今なら誰も来ない」

甘い囁きが耳を濡らす。

びくっと肩を揺らすと、哉也は手にもっていた資料で二人の横顔を隠し、ちゅっと軽くキスをした。

間近に視線が交じりあい、やさしく見つめる瞳にくらくらと眩暈がした。

哉也はいたずらっ子のような表情を浮かべ、ふっと口の端をあげる。

「ごちそうさん。仕事じゃなかったら押し倒してたな」

「なに、言ってるの」

あまりにも気恥ずかしくて、腹のあたりがじりじりと熱くなる。

まったく、スーツを着たいい大人が何考えてるんだ、と罵倒してしまいたくなった。

「今回の仕事の話さ、またおまえに余計なことするなとか怒られるんじゃないかって内心ハラハラしてたんだけど、そんなにはしゃいでもらえるなら腹括ってよかったよ」

そう言い、哉也は肩を竦める。

理人は哉也に気を遣わせてしまったことを申し訳なく思いながら、自分が感じたことを素直に口にした。

「……前は色々混乱してたけど、今日わかったよ、長谷川が俺に気づかせたかったこと。俺も、少しずつ変わろうと思うんだ。少しずつ……だけどね」

そして、この気持ちをちゃんと哉也に伝えたいと思う。

「そっか」と満足そうに哉也がやさしく目を細める。理人もつられて微笑んだ。

不意に哉也が時計に目をとめた。

「そろそろ休憩終わりか。これからイベントはじまったら俺は傍についていられないけど、予定を見計らって声をかけるから、それまでがんばってくれ。何かあれば、担当者の吉野に言って。後ろでスタッフも何名か控えてるから安心していい」

「了解」

「あ……と、おまえはわかったって言ってたけど、これが俺の言いたかったことすべてじゃないから」

「え？」

意図することがわかりかねて、理人は首をかしげる。

「まあ、あとからまたゆっくり話そう。今夜はずっと一緒にいられるよな？」

声を潜めるように言われ、ドキッとした。

今、キスされたり、いい雰囲気にはなったけれど……そういえば保留にしといてくれ、と言われたままだった。

一度はこの恋をまた諦めようとして、それでも会いにきてくれた哉也に、具体的な言葉をかけてあげたわけじゃない。

今夜はきちんと話をしなくてはならないだろう。これからの二人のことを。

「……うん。一緒にいたいよ」

理人は哉也をまっすぐに見て返事をした。

自分の意思を伝えたくて、一緒にいたいと告げた。

せめて、自分の気持ちには正直になろう。

もう二度と後悔しないように。

心から、素直な想いを届けよう。

変わらず好きだと言ってくれる……目の前の大切な人に。


イベントブースには色々な客がやってきて、打ち合わせ以上に面白かった。

結婚を考えているカップルはもちろん、友達同士、子連れカップル、熟年夫婦など様々だ。

理人は打ち合わせどおりにネイル体験ブースに入り、ネイルアートの見本となるチップをいくつか台に並べ、自社の名前の入ったＰＯＰメニューを掲げて待機した。

台には自社で扱っているマニキュアやケア用品の販売も置かせてもらうことになった。

ネイル体験は無料で利用できる。理人にはもちろんクレッシェンドホテルから報酬が支払われるが、客が負担することはない。受付人数の制限があるにもかかわらず、あっという間に長蛇の列になった。男性のネイルアーティストが珍しいからか、きゃあきゃあ言いながら参加する客もいれば、恥ずかしそうにしたり感心したりする客もいて、普段の静かなサロンとはまた雰囲気や勝手が違ったが、概《おおむ》ね予定どおりに進んだ。

興味本位……という言葉に傷ついた過去。

それにどれほど固執していたのだろう、とここにきて理人は思った。

興味本位でいいじゃないか。好奇心と興味があるからこそ、人は集まってくる。そして知ってもらう努力をすれば、きっと相手によさが伝わるはずだ。

昔は、跡取り息子としての責務から逃れた挙句、普通の恋愛や結婚を望めないマイノリティーな自分が幸せになる権利はなく、誰かを幸せにすることなんてできないと思っていた。

そうやって否定しながらも、心のどこかで自分の存在が誰かを幸せにできたなら……という気持ちもあった。

そして理人は夢の場所を見つけた。

小さなキャンバスが生みだすキラキラのアートで、誰かが幸せになれる居場所を。客が喜んでいる姿を見ると、理人まで幸せな気持ちになった。

店を構えた当初は、ひっそりと続けていけばいいと考えていたが、本当はもっとたくさんの人に喜んでもらいたかったのかもしれない。

自分を押し殺してきた人生に、ようやく生きがいを見つけ……自分という存在をもっともっと認めてほしかったのだと思う。

自分の個性に自信がなく、人との触れあいに臆病になっていた過去が、店をはじめたことで少しずつ和らいでいたのはたしかだ。

けれど、まだまだ全然足りなかった。

哉也と再会し、今日このイベントを経験して、人との触れあいに飢えていたのだ、と改めて気づかされた。

現実逃避をしながらも、どこか居場所を探していた。

その中で、自分の存在に光をあてて、周りに認めてほしかったのかもしれない。

ネイル体験の受付は二十名ぐらいでストップし、その後はネイル用品の販売へと移っていた。販売は理人が担当するのではなくスタッフがやってくれる。

店でさえもこんなに大人数の客を連続で担当することはなかったので、さすがに手が震えるぐらい疲労を感じる。

控室に戻ろうとしていたところ、別のブースにいた哉也が声をかけてきた。

「お疲れ」

「お疲れさま」

互いを労《ねぎら》い、自然と笑顔がこぼれる。

「大反響だったな」

「うん。おかげで楽しかったよ」

理人が声を弾ませて言うと、哉也は嬉しそうに口角をあげた。

「そう言ってもらえてよかったよ。で、実は……疲れてるところなんだけど、一時間ぐらい休憩入れたら、手伝ってもらいたい仕事があるんだ。いいか？」

「いいけど……なんの仕事？」

「とりあえず場所を移そう。休憩しながら説明するよ」

「わかった」と頷き、理人は哉也についていく。

ホテルの従業員専用入り口から入り、エレベーターに乗りこむ。

連れていかれたところは、静かな会議室だった。

長テーブルの上にはお弁当とお茶が数人分置かれていた。スタッフが休憩する場所なのだろうか。

哉也がそのうちの二つずつを手にとり、こっち、と手招きをする。

二人は窓際の庭園が見晴らせる席に隣り合って座った。

「ホテルのディナーをごちそうするって言いたいとこだけど、弁当で悪いな」

そう言いながら、哉也は理人の分を目の前に置いてくれた。

「お弁当もらえるんだ。ありがとう。十分豪華だよ。なんか引き出物のセットみたいだね」

漆塗りの艶をイメージした箱に、秋を思わせる銀杏色の千代紙をかぶせ、紅白の紐《ひも》で綴《と》じてあった弁当をそろり、と開いてみたところ、披露宴に出てくるような立派な料理がぎっしり詰まっていて、理人は恐縮する。

「ああ、もちろん味は保証する。まあ、これも広報の仕事のようなもんだ。ゲストにおいしい料理を食べてもらって、いい印象をもってもらう」

なるほど、と思いながら理人は「いただきます」と手を合わせた。

昆布の煮物を頬張ると、ちょうどよいダシ加減がじわっと染みていく。

「おいしい」

「そうだろ？　うちは弁当の評判もいいんだよ」

哉也は得意げに言った。

考えてみたら、哉也はいつも営業になるとかアピールになるとか言うのが口癖になっているようだが、それだけ仕事人間ということなのかもしれない。

跡取りとして育てられた環境は理人と似たようなところもあるだろうが、哉也は与えられた使命や責任感のためだけではなく、好きでホテルの仕事をやっているんだな、というのが伝わってくるのだ。

——触れてみてわかることがある。

ネイルアーティストとして仕事をはじめてから、理人は客の手に触れるたびに感じてきた。仕事のできそうなキャリアウーマンに見えてほんとうはうっかりもののドジな人だったり、派手な化粧をしているように見えて実は好きな人に好きだと言えない小心者だったり、物静かそうに見えて実はお喋りな人だったり……。

容姿だとか服装だとかステータスだとか、それはすべて自分に興味をもってもらい、よく見てもらうための努力というきっかけに過ぎない。ときには表面上の飾り方で誤解されることもあるだろう。ただ主観で見ているだけではわからないことがたくさんあるのだ。

それを今、理人はひしひしと実感していた。

二人は腹が減っては戦はできぬといわんばかりに、しばらく無言のまま弁当を堪能した。やがて満腹になると疲労感が心地よい睡魔となって襲ってきそうになる。

哉也がそれで……と口を開き、うとうとと瞼を閉じかけていた理人は慌てて姿勢を正した。危うく椅子からずり落ちるところだ。

「そういう自堕落な姿も案外様になってて悪くないな」

哉也が子どもを見るような目で微笑んでくるから、なんだかきまり悪い。理人は照れ隠しにお茶にくちをつけながら話を急《せ》かした。

「で……なんだっけ？　仕事の話？」

すると途端に哉也の様子が緊張したものになる。まずは昼食をとってからと間を置くぐらい、言いづらい内容なのだろうか。そう考えたら理人まで緊張してきた。

「実はこのあと午後から模擬挙式のイベントがあるんだけど、それのモデルになってほしいんだ。うーんと、身長差からいうと、新婦役ってことになるのか」

理人は思わず口に含んだお茶をぶっと噴きだしそうになり、慌ててなんとか飲みんだ。

「新婦!?　……って……なっなに、それ……悪い冗談、やめてくれよ」

新郎ならまだわかるが、新婦役とは……。

昔から綺麗な顔をしていると言われることが多かったが、女装の趣味はないし、ドレスなんて絶対に着たくない。

さすがに断ろうとすると、哉也が慌てて訂正した。

「いや、待て、最後まで聞けって。実は同性婚の模擬挙式イベントがあるんだよ」

「同性婚？」

「ああ。まだまだ需要が少ないけど、だからこそ第一人者として、クレッシェンドホテルが取りくみたいところなんだ。それがブライダルフェアプロジェクトの目玉でもあってさ。模擬挙式イベントは、第一部と第二部に分かれてて、午前に通常の模擬挙式が終わってる。で、これからの第二部が同性婚の模擬挙式なんだ。もちろん心配しないでいい。野郎同士でドレスは着ない。どっちもタキシードだよ」

「でも、相手がいるってことだよね？」

理人はそう問いかけたまま黙りこんだ。

ただでさえゲイだという事実を公にしないように生きてきたというのに、好きでもない相手と同性婚の挙式のふりだなんて考えられない。

　ホテルの模擬挙式イベントとしての内容は理解できるが、理人には荷が重すぎる。

　さすがに無理だと言おうとしたのだが、哉也が断らせまいと手を握ってくる。

「俺が相手だったらやるだろ？」

　熱い手のひらに引き留められて、理人は口ごもってしまう。

　しかも断定的な言い方だ。なんだか惚れた弱みに付け込まれているようで、口を尖《とが》らせたい気分になった。

「なんだよ……脅しみたいなの」

「脅しでも冗談でもない。真面目な話だ。今回のプロジェクト担当は俺だ。模擬挙式イベントの立案も俺がした。けれどな、特殊なイメージがつくのを嫌ってタレントの事務所も首を縦に振ってくれないんだ。で、最終的に試みとして俺がやることになってさ、相手役にいい人材を見つけたって話を通したんだ。そうまで言ったんだから、やらないわけにはいかないよな」

　ちらり、と同情を誘う目で一瞥され、理人は言葉に詰まった。

「……って、勝手に……待ってよ。俺が断ったらどうなるの？」

「うーん、考えてなかったけど、まあ代打はいるよ。そこまで博打《ばくち》みたいなことはしない。でも、俺は誰でもないおまえにやってもらいたいと思ってる」

　理人は困惑した顔で哉也を見つめた。

つまり、もしも理人が断ったら、他の人が哉也の相手をするということだ。たとえば、爽やかそうなあの部下の吉野みたいな……。

たとえ模擬挙式とはいえ、哉也と誰かが結婚してしまうところを想像して、居心地が悪くなる。

「……そういうことか。長谷川は狡いな。なんか調子がいいと思ったんだ」

理人がムッとした顔をしてみせると、哉也は申し訳なさそうに肩を竦めた。

「さすがに怒るだろうなって緊張してた。けど、一ノ瀬にどうしてもわかってほしいことがあるんだ。きっとこの件をやり遂げたら、俺の気持ちをわかってもらえるはずだって信じてる。だから、頼まれてくれないか？　このとおり、お願いだ」

哉也が真顔で頭を下げるので、理人は焦った。

「ちょっ……長谷川」

これではホテルマンにクレームをつける客のようではないか。

ネイルの仕事ならば断わらなかったけれど、モデルという見世物になるのは勘弁してほしい。理人にとって何よりいやなことだというのを哉也も知っているはずだ。それをわかったうえで頼みこんでいるのだというのは伝わってくる。

哉也の仕事に対する真摯な姿勢はもう十分わかっている。愛しい人が頼ってくれる気持ちを無下にするほど薄情ではないつもりだ。

ただ、理人にとって不安なのは、模擬挙式イベントとはいえ、哉也が今後も「そういう目」で見られる可能性があることだ。

イメージがつくのを嫌うタレントがなかなかOKを出さないというのも当然だと頷ける。

やんわり断れないかと試行錯誤しながら、理人は重たい口を開いた。

「……俺のことならもういいよ。とっくに長谷川が言いたかったことなんてわかってる。今回のイベントで十分感じたよ。自分の身の振り方を反省する機会になったこと、すごく感謝してるんだ。自分勝手に……気持ちが重たいだなんて思ってもいないことをぶつけて悪かったって反省もしてるよ。だからさ……」

理人が言い終わらぬうちに、哉也がそろりと顔をあげ、食い下がってきた。

「それなら尚更、最後の締めくくりに、俺に付き合ってほしい」

理人よりも見た目は大人な彼が、子犬のように期待に満ちた瞳を向けてくる。

こういう哉也のまっすぐなところに理人は弱い。

好きで一緒にいるだけで幸せだと思っていたのに、これ以上夢を見るようなことをしてしまったら、後戻りできなくなる……そう忠告をしようとしたのに、言う気が削《そ》がれてしまった。

「わかったよ……でも、一回限りだから。モデルをつづけてとか言われても絶対しないから」

理人が渋々返事をすると、哉也は嬉しそうに口角をあげた。

「ああ、必ず約束するよ」

こうなったらもうだめだ。この笑顔に勝てる気がしない。

哉也の前では理人はイエスマンになるしかないのだ。

あまつさえ、ご褒美といわんばかりに頬にキスをされて浮かれる自分はどうかしている。

すっかり飼いならされているというか、ご主人様が大好きな子犬は理人の方なのかもしれない。

本当に狡い、と思う。

やはりこれが惚れた弱みというやつなのだろう。


食事を終えたあと、理人は哉也に連れられてバンケットルームの手前にある支度部屋に案内された。

そこにはタキシードが飾られており、ヘアメイクと着付けを担当するスタッフが既に待機していた。

「……用意周到……っていう感じだね」

理人は思わずぼそっと愚痴を漏らした。

「まあ、そう言うな」

哉也が笑ってごまかす。

乗り気のしなかった理人だけれど、ここまできたら専任のスタッフにされるがままに任せるほかなかった。ちやほやと賛美の声を注がれながら着替えさせられていく間、モデルはいつもこんな感じなのだろうかとぼんやり思った。こういうのが好きな人もいるだろうが、やはり苦手だ。自分以外の誰かにあれこれ触られるのは落ち着かない。

理人のタキシードは明るめのシルバーグレイだ。

最初はできるだけ地味なものを、とリクエストしてみたものの、黒や紫や青みがかったタキシードをあてがったところ、もともと涼しげな顔立ちをしているからか、貧相に見えてしまうと却下されてしまった。

照明の輝きによって自然な光沢のあるシルバーグレイ色が、陽に透けるような明るい髪色をした理人によく似合っていた。

乗り気のしないまま身支度を終えると、すぐ目の前に黒いタキシードに身を包んだ哉也が既に立っていた。

理人は哉也を見た瞬間、言葉を失った。これまでの愚痴などすっかり頭から消え去ってしまった。なぜなら、あまりに完璧な新郎だったからだ。

普段は垂らしたままの前髪がワックスで整えられ、端正な顔立ちが、より精悍《せいかん》さを増している。スーツを着ているときでさえ色っぽいのに、黒いタキシードに身を包んだ様子は、それ以上のフェロモンが出ていて、はっきり言って目の毒だった。直視するのが恥ずかしくなり、俯きがちになると、対面を果たした哉也が声を弾ませて言った。

「似合うな。やっぱり……おまえ、いいな」

哉也は自分の身なりよりも、理人の方が気にかかっているらしい。頭のてっぺんから足元まで惚れぼれしたように見つめてくるから、なんだか気恥ずかしい。

それにやっぱりってなんだ。想像していたとでもいうのか。

「あんま見ないでほしい」

理人はたまらず哉也の熱っぽい視線を牽制《けんせい》する。

「なんでだよ。結婚する二人なんだから、仲良くやらないと」

それを言われると辛い。

傍に控えていたスタッフもどう入ってきていいか困っているじゃないか。そう思った理人がちらりと一瞥したのが合図になり、スタッフが深紅の薔薇《ばら》のブーケを二人の前に差し出した。

「……ブートニアをお願いします」

「えっと、これは？」

理人はどういう手順かわからず、哉也を見る。

「ああ。花嫁のブーケのうちの一本が花婿のブートニアだってことは知ってるよな？　ダズンローズの風習はわかるか？」

理人は首を横に振る。するとスタッフが代わりに応えてくれた。

「ダズンローズというのは、十二本の薔薇のことです。西洋に古くから伝わる風習で、ゲストから贈られる十二本の薔薇の花束を新郎から新婦に手渡し、新婦はその中の一本の薔薇を新郎にブートニアとして返すことで、承諾しました、というプロポーズの代わりなんですね」

「へえ」

なるほど、と頷く理人に、スタッフの女性はつづけて言った。

「十二本の薔薇にはそれぞれに意味があるんですよ。感謝、誠実、幸福、信頼、希望、愛情、情熱、真実、尊敬、栄光、努力、永遠……それぞれ十二の意味をもっているんです。新婦は新郎へ自分が一番贈りたい言葉の薔薇を返し、それをブートニアとして胸に挿《さ》すんです。ロマンチックですよね」

にこやかにスタッフに言われ、理人は今告げられた十二の意味を考えた。

哉也がブーケを受けとり、理人の前に差し出す。

「……で、同性婚では、このブーケから互いに一本ずつをそれぞれの胸に挿すことにしたんだ。おまえは何を望んで、何を選ぶ？」

どれも同じように見える薔薇。たしかに形はそれぞれ違うけれど、ちゃんと相手に贈るための意味もあるなんて知らなかった。

感謝、誠実、幸福、信頼、希望、愛情……。

情熱、真実、尊敬、栄光、努力、永遠……。

理人は迷った。

けれど、その中で一番哉也に贈りたいものとするなら、たったひとつ。

もう一生離れない『永遠』を選びたい。

「やっぱり……結婚式といえば、永遠……かな」

「それなら、俺は……幸福……を選ぼう。永遠に幸せにする誓いだからな」

哉也の甘い微笑みは、腰が砕けそうになるほど極上の心地をくれる。

あくまで模擬挙式だというのに、今、本番を迎えているような幸せを感じてしまうのは滑稽だろうか。

哉也が胸に挿してくれた『幸福』のブートニアにくすぐったさを覚え、自分から哉也の胸に挿した『永遠』のブートニアに重みを感じた。

……と同時に、切なくて泣けてくる。

なぜ、こんなに好きなのだろう。

どうして嫌いになれないのだろう。

忘れられたら楽だったのに。

十年離れている間もずっと好きで、再会してからも想いが溢れるばかりで……なぜ、こんなに愛おしいのだろう。

「……おまえ、今から泣くなよ」

「……え？」

理人は自分で気づいていなかったが、視界が滲みはじめていたらしい。哉也の戸惑いの声が、熱いため息に変わる。

「ご、ごめん……なんか、結婚式って神聖な空気が漂ってて、なんていうか感化されたっていうか」

慌てて涙を拭おうとあたふたしていると、哉也がハンカチをさっと取り出し、頬をやさしく押さえ

てくれた。

「ああ、気持ちはわかるよ。模擬挙式で、娘の挙式当日を想って泣かれてる親御さんがいたからな」

そう言いながら、哉也が微笑みかけてくる。

「なあ、一ノ瀬」

「ん……？」

「いつか、おまえのがんばりを、親父さんも認めてくれるよ。そのときに……俺たちのことを認めてもらいにいこう。まあ、反対されても折れるつもりはないけどな。おまえを幸せにするってここで事前に誓うんだからさ」

「そのために、今日……？」

理人はハッとして哉也を見た。彼は何も言わずに微笑んだ。

理人はまた心の中で狡い、と呟いた。

こんな紳士な一面を見せられると、なんだか焦る。先に大人になっていく哉也に置いていかれてしまうような気がして。

願うなら永遠に……哉也と一緒にいたい。

叶うなら幸福を……二人でずっと感じていたい。

感化されたというだけではなく、理人は心からそんなふうに感じていた。

模擬挙式は人前式で、神の前に誓うのではなく、二人がともに並び、参列者の方に向いて宣誓するというものだった。

人に認めてもらいたいという願いを密やかにもちつづけるマイノリティー同士には一番の幸福の場所だといえるかもしれない。

興味本位のギャラリーもいくらかいたが、理人は人目にさらされることをいやだとは思わなかった。哉也が一緒だったから心強かったのか。それとも理人が願っていることだからだろうか。

新郎新婦ではなく、二人の新郎……ではあるが、身長差からいうと哉也の腕にそっと手を添える理人の方が新婦役といえる。

挙式の間は異様なほど緊張して、周りのことなどもう目に入っていなかった。大勢の人々に見守られながら、二人は中心に立ち、互いを見つめあった。

事前に打ち合わせしたとおりに誓いの言葉がなかなかすんなりと出てこなくて焦る中、哉也が終始エスコートしてくれ、難を逃れ……指輪の交換までこぎつくことができた。

ホッとしたのも束の間、哉也の顔がゆっくりと近づき、真剣な表情で見つめてくる。

これからクライマックスの誓いのキスがあるのだ。

哉也とは何度かキスしたり、身体で触れあったりしてきたけれど、改めてかっこいい顔をしているな、と見惚れてしまう。

濃い睫毛に縁どられた切れ長の二重に、黒曜石のような瞳が煌めいている。彫刻像のような整った鼻梁や、ほどよい厚みがある甘やかな唇……これが自分だけのものなのだと思うと、優越感さえ生まれてくる。

何より好きな人と、誰に咎《とが》められるわけでもなく、こうしていられることがとても幸せで、胸が熱くなってくる。

哉也がふっと破顔したのを見て、理人はハッと我に返る。あまりに見惚れすぎていたらしい。頬がじんわりと熱くなり、耳まで広がっていくのがわかる。

誓いのキスはふりでいいと言われていたものの、どう身構えていていいかわからない。理人はドキドキしながら、どのタイミングで瞼を閉じたらいいのやら混乱しつつ、とにかく哉也に委ねることにした。

心臓が首のあたりまでどくどくと脈を打たせていて、呼吸をするのさえ苦しい。

やがて頤《おとがい》をそっともちあげられ、重なるか重ならないかギリギリのところで、やわらかい唇が吐息とともに湿った感触をくれた。それを合図にようやく理人も瞼を閉じた。

――生涯の愛を誓います。

理人の鼓膜には キスする前に誓い合った言葉が、いつまでも甘く残っていた。


「――今日は色々と濃い日だったな」

哉也が濡れた髪を拭いながら、ふっと一息ついた。

模擬挙式イベントが終わってタキシードから私服に着替えたあとも、哉也はスタッフへの挨拶まわりに忙しかった。理人はその間『新婚カップル』のためのゲストルームで待たされていて、今、ようやく二人きりになれたところだ。

お役御免と先に身支度を整えていた理人は、ベッドの上で膝を抱えつつ、文句をひとつ加えた。

「それを言いたいのはこっちの方だよ」

まさか指輪の交換をして誓いのキスをするとは思わなかった。模擬挙式とはいえ本格的な進行だったため、本当に哉也と結婚したのだと錯覚してしまいそうだったのだから。

指のあたりの違和感もまだ残っている。何よりキスの瞬間が一番緊張した。もう一回同じことをしてほしいと言われても、絶対にできないだろう。

「……俺がほかのやつとやらなくてよかっただろ」

たしかに誰かと挙式をしている姿を見たら、とんでもなく打ちのめされていただろう。哉也とほかの誰かがキスしているシーンなんて見たくない。

ムッとしている様子が伝わったのか、哉也が嬉しそうな顔をする。

「安心しろよ。元々おまえ以外とは考えていなかったって言ったろ。今後もやる予定はないから」

「……はいはい」

……やっぱり悔しい。理人ならきっと断らないだろうという自信があったということなのだから、こちらとしては釈然としない。理人の驚きをよそに、哉也は虎視眈々《こしたんたん》とそのときを待っていたのだ。

やられたな、と思うのは、これで一体何度目だろう。

「……で、わかってくれたか？」

哉也が理人の隣に座って、頭をぽんとやさしく撫でる。顔をのぞきこむようにしてやさしい視線を向けられ、言葉に詰まった。

「……いやでもわかったよ」

理人はつい捻くれたことを言ってしまうが、ただ照れているだけだった。哉也はご機嫌とりをするように理人の肩を抱き寄せる。

「挙式のあとなんだから、つづきの蜜月《ハネムーン》を楽しまないと……な？」

あたりのいい低い声に耳元で甘く囁かれたなら、ひとたまりもない。腰にぞくんと震えが走り、あっと声が出そうになって理人は顔を赤らめた。

「……っ……模擬挙式だってば」

「いや、この部屋に好意で泊めさせてもらえるんだし、甘えていいんだよ。それだけのことをしてくれたんだから」

「それは……仕事だから」

「俺はおまえと式ができてよかったよ」

誘惑めいた声で囁きかけ、耳朶に、頬にちゅっと音が立つようなキスをしてくる。いじわるっぽい視線からして、わざと理人をいじっているのかもしれない、と思った。

「そうやって、からかうなよ」

「からかってない。本音だ。今日のことが、俺たちにとってプラスになったと思ってる。そのつもりで今日に賭けてた……っていうと、またおまえに用意周到だって怒られるんだろうけどな」

ははは、っと哉也は笑った。

あまりにからっとしていられると叱るにも叱れない。

哉也には、してやられてばかり。けれど、理人の性格上すぐには納得しないと思ったから、色々根回ししたのだろう。

理人だって、哉也が理人のことを想ってやってくれたことは嬉しいと思っている。ただ……好きすぎて嬉しすぎて、照れてるだけだ。

「もういっそ本物の挙式ということにしてもらえないか」

今まさに考えていたことを一字一句違《たが》わずに哉也が呟いたので、なんだか笑ってしまった。

「何がおかしいんだよ。喜んじゃ悪いのか？」

「ううん……違うよ。嬉しい、んだよ」

今度は理人も素直に胸の内をさらした。すると嬉しそうな顔をして、哉也がキスをねだってくる。

理人は自分からも唇を近づけて、そっと目を瞑った。

瞼の裏には哉也と出逢ってから今までのことが走馬灯のように蘇った。

すれ違って、再会して、また、すれ違いそうになって……また手を離しそうになった。

けれど、今度こそもう、彼から逃げようなんて思わない。

しばらく堪能した甘いくちづけの余韻に揺蕩《たゆた》いながら、理人は哉也の背に腕をまわしつつ、意を決して正面から彼を見つめた。

「長谷川……俺さ」

「ん?」

「覚悟、決まったよ」

「……覚悟。俺と一緒にいてくれるってことか?」

「うん。模擬挙式だけじゃなく、これからも、ずっと……ずっと一緒にいるって約束する」

理人が晴れやかな顔をして言うと、哉也はバスケの試合でガッツポーズを決めたときぐらいの大きな笑顔を咲かせた。そんな愛しい人の表情に、理人も知らずに微笑みがこぼれた。

「じゃあ、本番を迎えられるように……おまえの気持ちを向かせるようにがんばらないとな」

同じことを理人も思った。

どうしたらもっと好きになってもらえるかなんて、今まで考えたことがなかった。どうしたら嫌われないでいられるか、と怯えていた。

今はもっと哉也に好きでいてもらいたいし、彼のことを受け入れたいと思う。

こっちはもうとっくに哉也の新たな魅力に夢中にさせられてるんだけれどな……と顔を赤らめてい

ると、哉也の両手が包みこむように這わされた。指先が肌を掠めるだけでドキドキする。

「好きだよ。愛してる」

　ストレートな告白は哉也らしいけれど、面と向かって愛してると言われると、どうしていいかわからなくなる。

「……って、その不意打ち、困る」

「ずっと思ってたことだよ。宣誓したはいいけど、肝心な相手に言ってないなんて変だろ」

　きっと今、理人はみっともなく真っ赤になっていることだろう。

　哉也が触れてくれる手が、蕩けそうなほど気持ちいい。

　理人も哉也に触れたくなって、彼の頬に手を伸ばし、耳やうなじや肩に這わせた。

　すると、くすぐったそうにその手を摑まれ、指を絡められるばかりか、唇を奪われた。

「ん、……」

「……あれだけのキスじゃ足りない」

　啄むようなキスの応酬はどんどん深まっていくばかり。

　そのまま理人の身体は哉也に押し倒され、ベッドに二人の身体が沈んでいく。

　両手をシーツの上で握られたまま、お預けをされていた獣が獲物を喰らうといわんばかりに唇を貪ってくるのについていくので精一杯だ。

　けれど、けっして乱暴なのではなく、やさしく溶かして蕩けさせようとする愛のあるくちづけだった。

哉也の手の感触に、愛おしさが募る。

この手に触れていたい。

ずっとこの手を離したくない。

心から誓って、もう二度と……。

理人は哉也の手を握り返しながら、求められるまま唇を差し出し、自分から舌を絡め、唇を啄んだり上唇や下唇を交互に舐めたりした。

理人が何度も何度も求めつづけたせいか、いつになく哉也の息があがっている。

「気持ちいい……のか？　こんなに積極的な一ノ瀬、初めてだな」

「俺が、こんなじゃ……だめ？　……ん、……もっと……」

酒を飲んだわけでもない。

けれど、酩酊《めいてい》しているようなふわふわした高揚感が止まらない。

「……だめじゃない。もっとしよう。おまえが望むままにしてやるよ」

互いの気持ちを通わせあうということは一度きりのことではなく、何度も何度もぶつかって寄り添って重ねていくものなのだろう。そのたびに相手を愛おしく思い、絆《きずな》を深めていくものなのかもしれない。

途切れかけた糸と糸をつむいで、ひとつの絆に……。

「う、ん」

濡れた唇が触れあうのが気持ちいい。

このまま永遠にキスだけをしていたくなるぐらい。けれど、どんどん欲求が膨れあがってくる。

やさしくくちづけてくれていた哉也の息が乱れ、だんだんと荒々しくもどかしげに口腔をまさぐられ、呼吸するのが苦しくなってくる。

くちづけは唇だけにとどまらなかった。むき出しになった耳朶をちゅっと吸い上げ、うなじの薄い皮膚を食み、鎖骨を甘噛みする。その間も哉也の手は理人の髪やうなじ、乳首の先を転がし、また擦りつけてくる。

「ん、あ、んっ」

腰の奥が甘重く痺れ、熱が集まっていくのを感じた。

「こんなに勃たせて……可愛いやつだな」

指摘されるとおりに、理人のそこは痛いぐらいに膨れあがっていた。

哉也の武骨な手のひらがそこを捕らえ、ばらばらな指を動かしながら扱きはじめる。尖端の割れ目をぬるぬると動かしながら、理人の方を見上げてきた。

「もっと、おまえのいろんなところ……欲しいところにたくさんキスしてやる……」

宣言どおりキスの嵐が降る。

乳首を舐めていた舌は、下腹部へおりていき、今しがた触れた竿《さお》の尖端をひと思いに咥えこんだ。

「素直に感じてろよ。おまえのそういう声、好きだよ。たまらない気持ちになる」

まさか、してもらえると思わなくて、理人は焦った。そんなにされたら出してしまう。

「……ん、今日、俺……余裕、ないのに」

「そういう余裕ない顔が、見たいもんなんだよ」

ぐちゅぐちゅと果実が潰れるようないやらしい音が漏れてくるところからすると、もう既に少し出してしまっているかもしれない。口腔で舌を這わされながら吸われると、全身の毛穴という毛穴から汗が噴きこぼれ、一気に血流が中心へと集まった。

がくがくと腰が震えてしまう。

哉也の愛撫は少しも加減することなくつづけられ、あまりの気持ちよさに理人は自分から腰を動かしたくなるのを必死に止めようとする。

その動きすらも受け止めるように哉也の手が腰に這わされた刹那、なだれが起きた。

「う、あっ……やだ、……とめ、て……んっ……出ちゃう、からっ……んんっ！　あっ！」

「だ、…めっ」

抗う言葉など間に合わない。目の前が激しく明滅する。

次の瞬間には、ドクンと脈が震え、尖端から熱いものが噴きこぼれた。

ふやけきって朦朧《もうろう》とする中、哉也がすべてを飲みほそうとしている姿が映り、たまらなく愛おしい気持ちになる。

自分のもので哉也の唇を汚してしまった罪悪感と羞恥心で途方に暮れていると、哉也が唇をねだってきた。

「……や、じゃないの？」

「いやだと思ったことなんてない」

自分の精液がついた哉也の唇はなんだか不思議な味がした。けれど、哉也と同じようにいやだとは思わなかった。

あまりに大切にキスをしてくるから目頭の奥がつんとした。愛おしすぎて泣きたくなってしまったのだ。

「ん、……っ……俺だけじゃ、やだ……」

理人は哉也の太い首筋に嚙みつくようなキスをしたあと、彼のむき出しになった鎖骨を食み、乳首を舐り、割れた腹筋へと舌を滑らせた。

「……おい、一ノ瀬……」

伸びてきた哉也の手が、理人の柔らかい髪を梳《す》く。

夢中でキスしていたら、哉也の腰がくすぐったそうに揺れた。彼の脚の間には今すぐ挿入したいといわんばかりに脈打っている肉棒があった。

「無理、するなよ」

哉也がそう言うのも無理はない。体格の差があるからというのもあるし、理人のに比べだいぶ逞しい。中に挿入されるときは半勃ち状態でないと裂けそうで苦しいぐらいだ。

でも、そんなことは今の理人には関係なかった。

膨れあがった切っ先に、理人は迷いもせずにくちづけた。

ただひたすら哉也を愛したくてならなかった。

哉也が感じてくれているのが嬉しかった。愛おしそうに髪を撫でてくる指先が気持ちよくて、悦《よろこ》んでほしくて無我夢中でしゃぶった。

自分がされてよかったところを真似するように、尖端を丹念に舐り、裏筋を吸いながら、気持ちいい場所を探した。

時折、切なそうに声を押し殺し、熱いため息をつく哉也の表情が色っぽくてぞくぞくした。もっとその声を聞いてみたくなった。

「あんまりすると、……おまえがきつく、なるぞ」

「……じゃあ、いっかい、出して……いいから……」

理人はそう言い、哉也がしてくれたようにしゃぶりつく。

「バカ……あんま煽るな」

それでも理人はやめなかった。夢中で哉也を愛した。必死に咥えていたから加減がわかっていなかったらしい。

やがて口の中で哉也の熱が爆ぜ、一回では飲みきれなかった精液が唇からつっと滴っていく。

むんとした青くさい匂いが漂い、互いの体液がまじりあっているのを感じると、興奮してたまらなくなる。

さっき哉也の口で吐精したばかりなのに、理人の半身は再び擡げているどころか硬く張りつめてさえいた。

唇を拭いながら見上げると、恍惚《こうこつ》とした表情を浮かべる哉也と目が合った。

「……俺を咥えながら、興奮してたのか……」

たまらないと言いたげに掠れる哉也の声が色っぽくてそそられる。

「好き……で、おかしくなりそう……なんだ」

涙と、汗と、体液と、ありとあらゆる水分が失われていきそうだった。それでもいいから哉也と繋がりあいたいという衝動が止められない。

「……俺の方がとっくに……そうなってる」

形勢逆転し、哉也の舌が理人の隆起した胸の中心を抉るようになぞり、痛いぐらい張りつめた先を甘く噛む。

「あ、あっ……」

「蜜月なんだからさ……二人で溺れればいい。朝までずっと……な？」

「そんな……朝まで、なんて」

「いいだろ？　ずっとおまえといたい」

理人の昂ぶりからぐずぐずと溢れだす体液を絡めながら、やさしく手のひらで扱く仕草がとても淫らで、密着している部分から熱を帯びていく。まるで油彩の絵の具をぐちゃぐちゃに塗りたくられていくようだ。

初めて結ばれたときは互いが余裕のない感じだったけれど、今夜は違った。ゆっくりと互いの存在をたしかめあうような触れ方だった。

「ん、あ、あんっ……」

ありとあらゆるところにくちづけされ、甘くほぐされていく。

もっともっととねだって止められなくなる。

「一ノ瀬、手、ついて」

もどかしそうに哉也が言って、理人の背中に覆いかぶさる。

ぬぷ…と濡れた切っ先が沈んでくるのが伝わってきて、背中が弓なりにしなった。

「……っ……」

今夜は後ろから、哉也の昂ぶりを受け入れた。狭隘《きょうあい》な入り口をゆっくりと広げ、より深くへと熱いものを沈めてくる。

「く、っ……はぁ、……」

「辛かったら言って」

そういう哉也の方が辛そうだ。

「ん、あ、っ……ぁっ」

身体は強張ることなく、むしろ淫らに欲しいと腰が揺れた。

それを抑えるように哉也が覆いかぶさって、理人の熱棒に触れた。

「たくさん……おまえを愛したい。俺なしじゃ……いられない身体にしてやりたい」

哉也の声が途切れがちになりながら、理人の耳に甘い囁きを落とす。

濡れた切っ先を指で弄られ、瞼の奥がじんとした。

「……そう、だよ」

「ん……なに？」

……もうとっくにそうなのに。

これ以上夢中にさせてどうしたいのだろう。

身体も心もすべてを虜《とりこ》にされて、猛獣にやさしく手折られた羽根はもう二度と元には戻らない。このまま堕《お》ちていくだけだ。

もうどこにも逃げられない。

哉也が中を抉るたびに、甘い愉悦が駆け上がり、どうしようもなく切なくなった。

「……俺だけにして、よ……」

泣きそうになりながら理人は言った。

こんなに素直に甘えたのは初めてかもしれない。

理人の想いに応えるかのように、哉也の昂ぶりがよりいっそう張りつめる。

「おまえ、とだけしかしない。おまえだけだ……」

互いの息遣いと臀部を叩く打擲音とが響いて、よりいっそう互いの行為を現実のものと知らしめてくる。

「は、あっ……あっ……んっ……ん」

「くっ……熱いな……おまえの中、溶けそうだ……」

ずるりと引き抜かれ、熱い楔《くさび》が皮膚を焼く。そのまま理人の身体は仰向けにさせられた。面と向かいあうと、いくらかの羞恥が戻ってくる。

唇を重ねられ、目を瞑ろうとしたところ、哉也が瞼にキスをしながら、ため息をつく。

「理人」

「……っ」

突然甘ったるく名前を呼ばれて、不覚にもそれだけで吐精しそうになった。

「なに……?」

息を整えながら、哉也の顔を見る。

憂いを帯びた哉也の表情はいつにもまして色っぽい。

「もう、ずっとこれからも恋人だって……認めたんだから……今度から、名前で呼び合おう」

「名前……って」

「知らないとか、ないだろ。言って」

かぁっと変な汗をかいた。

よく見知った者同士の呼び方が急に変わったときほどくすぐったいものはないと思う。

けれど、哉也は逃してくれそうになかった。

「言ってみろよ。最初だけだよ、気恥ずかしいのは」

たしかにそのとおりかもしれないが、なんだか眩暈がしてくる。

理人は促されるまま、意を決して名前を呼んだ。

「と、しや」

言った瞬間から、顔に火がつく。

すると哉也はふっと笑みをこぼし、また甘やかすような声で、耳を甘噛みする。

「そうだ。今度からは、二人のときはそう呼べよ。理人」

哉也の昂ぶりが、理人の濡れた襞を広げ、再びぐんっと貫く。

そうかと思えば、浅い入り口のぐずぐずしたところを捏《こ》ねるように抽挿され、もどかしくなる。

「ん、あっ」

哉也に愛されるのは、どんな体勢でも気持ちいいけれど、互いの顔が見える状態でされると、より
いっそう気持ちが昂る。

名前を呼ばれてますます熱があがっていた。

「理人、……ぬるぬるだな。またイきそうになってるだろ」

「や、言わないで」

よくよく考えると、仰向けでは顔を見られるだけでなく、どれほど感じているのかなんて丸見えなのだった。

中をやさしく突きながら、嬉しそうに哉也が手のひらを這わせてくる。

「ん、んっ」

哉也の手のひらで扱かれる理人の分身は、しとどに蜜を垂らして、たちまち内腿を濡らしてしまう。耳朶を甘く食まれ、何度も名前を呼ばれる。愛おしげに髪を撫でられながら、やさしく紡がれる言葉に、頭が真っ白になりそうになる。

「名前呼ぶたびに、硬くなってく」

ふっと哉也が笑う。その声にすら敏感になっていた。

「あ、だって……やばい……」

いやいやとかぶりを振るが、哉也がやめてくれない。密着したまま耳を舐り、腰をゆらゆらと揺らしてくる。猛々《たけだけ》しい雄芯が内壁を抉り、爆発しそうな熱を与えてくる。

「理人……」

「や、……っ」

哉也の腰の動きも徐々に激しくなっていく。

いったん絶頂から取り上げられて焦らされた熱が、どんどんこみ上げてきて下腹部が甘くよじれる。

「もう今度こそ俺から逃げないで……ずっと傍にいろよ」

濡れた睫毛が伏せられ、ぐっと奥を突かれる。

哉也の瞼が、睫毛が、瞳の奥がきらきらと輝いている。

「うん。いるよ……いさせて……好き、だから……だからっ」

うわごとのように何度も叫んだ。

好きだった。

好きだ。

たまらなく好きだ……。

大好きだ。

「ああ、俺も、おまえのことが……好きだ」

荒々しく組み敷く獣のような恋人は、それ以上にもっと、愛おしい言葉を紡ぐ。

「愛してる」

——愛してる。

「……俺も、……愛してるっ」


——愛してる。

――愛してるっ。


何度も、何度も、声に出して……。

愛しい人の名前を、彼への想いを叫ぶ。

そして、手を握りしめながら、互いに混沌とする世界をいくつも彷徨《さまよ》う。

愛されれば愛されるほどに、わだかまりもコンプレックスも不安も何もかもが消えていく。

白く包まれた世界の中、瞼の裏側には、互いが幸せそうに笑いあう、永遠の時が映った。


ネイルサロン『Le petit bonheur《ル・プティ・ボヌール》』の店内は、クリスマスモードに飾られ、ネイルも赤、緑、金、銀、といったクリスマスカラーのマニキュアや、雪の結晶、トナカイやサンタなどといったデザインアートの見本なども飾られている。

「なんだか、クリスマスシーズンだけっていうともったいないですね」

未知が感嘆のため息をつく。理人も彼女に同調して頷いた。

「そうだね。でも、特別な時間を彩れると思うと、気合が入るよ」

二人が話をしていると、香織とばちっと目が合った。それとなく視線を逸らされ、理人は彼女に知られないよう小さくため息をつく。

あの一件以来、香織とは気まずい状態が続いていた。

店を辞めないでいてくれたことだけでもありがたいと思わなければならない。距離を置かれてはいるものの、仕事はしっかりやってくれるのだから。

香織と理人の様子がおかしいことが未知にも自然と伝わったらしく、何か探りを入れたがって「二人とも元気ないですね。何かありました？」としばしば聞いてくることがあったが、どう説明していいのかもわからず、あいまいに濁すだけだった。

香織は責任感のある人だから、辞めたいと言えないでいるのだろうか。

言いづらくさせてしまっているのなら、香織の厚意に甘えてばかりいないで、こちらからはっきり話を聞いてあげなくては。

そう思ってタイミングを見計らっていたある日の閉店後、意外にも香織の方から話があると声をかけてきた。

「オーナー、ちょっと話があるんですけど」

「うん」

理人は待ってみたが、香織はなかなか言い出さない。

そこへ着替えを終えた未知がひょっこり顔を出してきた。

「香織さん、仲直りしたいんですって」

そう言って香織に目配せをする。

どうやら既に未知には事情を話したらしい。

「実は、クレッシェンドホテルのイベントがあったとき、私たち食べ放題のビュッフェに参加していたんですよ。それで、模擬挙式イベントも見ていて……」

と香織が言いづらそうにする。

理人は模擬挙式のことを思い出し、たちまち恥ずかしくなってしまった。

「君たち……見に来てたんだ。知らなかった」

参ったな、と呟くと、未知が間に入ってくる。

「このところオーナーと香織さんの様子がおかしいから、私が話を聞きたくて呼び出したんです。そこで、嫌がらせのメールがあったこと教えてもらいました」

「そっか。心配させて悪かったね。申し訳なかった」

「いえ、オーナー、私こそ……ショックだったから、うまく気持ちの整理がつかなかったんです。ずっと憧れていたので……」

香織がそう言い、頬を赤らめる。

だが彼女の表情はすぐに曇ってしまった。

「君をがっかりさせてしまったね。仕事もやりづらいなら正直に言ってほしい。うちのことは気にしないでいいから」

あくまでも彼女の意思を尊重しようと思っていたのだが、香織はとんでもないと首を横に振った。

「違います！　私はここのお店もオーナーのセンスもすごく好きなんです。辞める気はありません。それとも……事情を知られて困っていますか？　木島さんに話もしてしまいましたし」

香織が遠慮がちに言葉を濁す。

「いや、君がいいって言うなら、もちろんいてほしいよ。高橋さんも木島さんも、ウチの大事な一員なんだから」

理人の言葉に香織がホッとした顔をし、未知がよかったねと肩を叩く。

もしかして、理人が彼女がいなくなるのを懸念していたように、香織もまた辞めてほしいと言われるのではないかと不安だったのかもしれない。

やっぱりちゃんと話をしないとわからないものなんだな、と反省した。

「ありがとう。二人とも」

理人の言葉に、香織と未知が顔を見合わせ、三人の間にあたたかい空気が流れる。

「あ、噂をすれば」

未知が声をあげた。

店の外に背の高いスーツを着た男性が立っていた。誰と見間違えることもない、哉也だ。

理人はふっと肩の力を抜き、口を開く。

「もうわかっていると思うけど、改めて紹介する。彼が、僕の大切な人だよ」

「長谷川さんがオーナーの大切な人だったなんて私もショックでしたよ。ほら、失恋パーティーを開かないとね」

未知が明るくそう言い、香織を励ます。

「もうこの間そのつもりでケーキいっぱい食べちゃったけど」

と香織が笑う。

二人が受け入れてくれたことに、理人は心から感謝した。

きっと相手が哉也でなければ、こういう未来は見られなかっただろう。

触れてみなければわからないことがある。

目を逸らさずに向き合えばわかってもらえることもある。

それを気づかせてくれたのは誰でもない、哉也だ。

三人の視線を感じたのか、入り口で哉也が気まずそうにしていた。

「閉店時間に来てしまってすみません。また改めないと……」

遠慮がちな哉也の声を聞いて、未知と香織が顔を見合わせた。

「わかってますから平気ですよ」

「え？」

話が見えないといった様子の哉也に、理人が説明する。

「ああ、実は……今、話をしてたところだったんだ」

「そうです。ライバルの話を、ね」

と未知が茶目っ気のある表情で言った。

「ライバル？」

哉也はますますなんのことやら、という顔をした。

「あ、私、オーナーのことが好きで、憧れていたんです。でも、大切に想っている人が……その、長谷川さんだって知って、嫉妬してしまったんですよ」

お調子ものの未知がぺらぺら喋るので、香織がややこしくなる前にフォローしてくれた。

理人が哉也に目配せをすると、ようやく事情をのみこんだらしい。

「なるほど、ね。俺の方が妬《や》けるけどな。ずっと店で一緒なんだから。二人は誰の代わりにもなれない大切な従業員……でしょう？」

哉也がそう言うと、香織と未知はそれぞれ晴れやかな笑顔を咲かせた。

すると哉也はかしこまって頭を下げた。

「ふつつかな恋人ですが、よろしくお願いします」

「……って、何へんな挨拶してるの」

理人が怪訝な顔をすると、理人を除く三人はおかしそうに笑った。楽しそうな三人を見ていたら、なぜか理人まで笑ってしまった。

自分の存在を認めてもらえることなど、この先ずっとないのだと思っていた過去がやたら懐かしく、そして小さく思えた。

触れてみなければわからないことがある。

人の想いも、温もりも、たしかなことも。

「やっぱりありがとう」

「いや、俺の方こそ、紹介してもらえてうれしいよ。肩身の狭い思いをしなくてもいいってことだろ」

彼と出逢わなければ今の自分はきっとなかった。

大切なことも見つけられなかっただろう。

理人は心の中で、頼もしい恋人に感謝した。

「……ふつつかな恋人だけど、これからも、よろしく……」

理人が哉也の真似をして言うと、彼は幸せそうに笑った。

「もちろんだ。これから幸せになろうな」

一度は手放してしまった恋だけれど、もう二度と離そうなんて思わない。

大事なことから目を逸らして逃げようとも思わない。

この手を握ってくれる人が傍にいるから……。

大切な人を幸せにしたい。

二人で幸せになりたい。

まだまだ未熟な人間だけれど、まずは自分が変わることからはじめよう。

そして新しい瞬間《とき》を刻んでいこう。
今度こそ、ずっと……愛しい人の手を離さずに。

あとがき

こんにちは、初めまして。森崎結月《もりさきゆづき》です。このたびは、たくさんの本の中から『愛しい指先』を見つけてくださり、ありがとうございました！

本作は私のＢＬデビュー作になります……！　ドキドキ……ドキドキ。あとがきを書いている間も緊張して落ち着きません。あとがき何を書いたらいいやら。とにかく今は、こうして読者の皆さんのお目に触れることができて、幸せなきもちでいっぱいです。

実は、他のジャンルで細々と執筆活動をしているのですが、ＢＬについては完全な読者側でした。男同士の恋愛だからこそ切々と綴《つづ》られるＢＬの世界を覗いて、いつか自分でも書いてみたい！　と思っていましたので、この日を迎えられたことがとてもうれしいです（いったん深呼吸……）。まずは本作のテーマから。私の中で外せない、大好きな『再会』の設定で書かせていただきました。

理人《りいと》がネイルアーティストという特殊な職業を選択していますが、その背景には高校時代に好きだった哉也《としや》とのことが色々詰まっています。理人にとって哉也は自分の人生の中できらきら輝いていた一部、それも大部分を占めているんですよね。彼が自分の人生だといっても過言ではないぐらい。それなのに臆病すぎてなかなか踏み切れなくて、お互いが好きなくせに！　と、執筆しながら、一体何度もどかしくなったことか。

　理人くんに悶々《もんもん》としながら、哉也さんに一生懸命がんばってもらいました。社会人になって自信を身につけたからには、もう絶対に逃がさない……といわんばかりに情熱的に攻めてもらいたかったのです。結果、一途×一途の想いが叶えられて、相思相愛の愛しさが溢《あふ》れるエンディングを迎えられ、著者としてもホッとしております。

　タイトルの『愛しい指先』というのは、理人にとっての哉也の、という感覚でいたのですが、今こうして振り返ってみると、哉也にとっての理人の、ともとらえることができるなと思いました。

　イラストは陵《みささぎ》クミコ先生に担当していただきました。ラフをいただいたとき、まさにイメージ通りに純粋な二人が描かれていて、しばらくうっとりと見惚《みと》れていたぐらいです！　陵先生、このたびは美しいイラストをありがとうございました！

　そして、作家として未熟な私に色々ご指導いただき、新たな道を開いてくださった幻冬《げんとう》舎《しゃ》コミックス様、リンクス編集部のご担当者様、ありがとうございました。とても楽しく幸せな気持ちで執筆することができて、喜《よろこ》びに満ち溢れています。

　最後に、読者の皆さんには最大級の感謝を……！　この本が、皆さんの心に刺激を与えられる本になっていたらいいなぁと願っています。そしてまたぜひ近い日にお会いできますように。このたびは本当にありがとうございました！

この本を読んでの
ご意見・ご感想を
お寄せ下さい。

〒151-0051
東京都渋谷区千駄ヶ谷4-9-7
(株)幻冬舎コミックス　リンクス編集部
「森崎《もりさき》結月《ゆづき》先生」係／「陵《みささぎ》クミコ先生」係

リンクス ロマンス

愛しい指先

2015年6月30日　第1刷発行

著者……………森崎《もりさき》結月《ゆづき》
発行人…………伊藤嘉彦
発行元…………株式会社　幻冬舎コミックス
〒151-0051　東京都渋谷区千駄ヶ谷4-9-7
TEL 03-5411-6431（編集）
発売元…………株式会社　幻冬舎
〒151-0051　東京都渋谷区千駄ヶ谷4-9-7
TEL 03-5411-6222（営業）
振替00120-8-767643
印刷・製本所…共同印刷株式会社
検印廃止

ISBN978-4-344-83469-9 C0293
Printed in Japan

幻冬舎コミックスホームページ　http://www.gentosha-comics.net